JN244454

［改訂版］

# キャリアデザイン論
## ─大学生のキャリア開発について─

安武伸朗・坪井晋也 ◎──編著

創 成 社

# はしがき

「生涯にわたり，自分を創造し続ける人になるために」

　本書は主に，自分らしい生き方の実現を学びたいと思う大学生を対象として，主にこれまでの常葉大学のキャリア教育を踏まえて企画，作成されました。

　キャリアとは，「わだち」という語源が示すように，大学生活の足跡です。さまざまな経験があなたのキャリアとなり，やがてそれらが社会の中での自分らしい生活へと導いていきます。本書はキャリア開発の入門書として，あなた自身の価値を捉え，社会の中でどのように活かすのかを段階的に理解できるように構成されています。

　「自分について」の章は複数の観点から自分を俯瞰して見つめ，「企業について」「職場社会について」では社会における自己実現の場を理解する内容です。また「学生生活について」の章で，就職活動を焦点においた実りある学生生活のデザインについてガイドします。

　大きく社会が変貌する現代において，キャリアとは仕事や会社から与えられるものではなく，自分で創りあげ，なんども更新し，創りつづける態度から育まれます。未来を楽しく，たくましく生き抜くために，本書を活用していただけることを願っています。

　最後に，本書の執筆においては，著者6人の共同作業から生まれましたが，その過程において，さまざまな支援をしていただいた，西田徹氏に感謝いたします。

2019年3月

編著者を代表して
安武伸朗

# 改訂について

　2019年3月の刊行以来，多くの場で本書が取り扱われていることは私たちにとって大きな喜びです。このたび第2版の改訂として，時代変化に合わせた内容の更新とともに本文にも若干の補正を行いました。

　自己分析に欠かせない「興味」に関する第4章では，職業興味に通じる内容として本文を書き改めました。また第5章を「地域・地方」に関した内容に変更し，読者が地方都市の現状と活性化の取り組みを理解することにより，現実的なキャリア形成の可能性を学ぶ内容としました。またそれぞれワークシートも変更しています。

　このたびの改訂においても，異なる専門分野からキャリア教育に関わる著者5人が取り組みました。再び編集校正に尽力いただいた西田徹氏に深く感謝いたします。


　2022年9月

編著者を代表して
安武伸朗

# 目　次

はしがき
改訂について

## 第 1 章　21世紀のキャリアデザインを知ろう ─────── （安武 伸朗）── 1
　　1　はじめに …………………………………………………………… 1
　　2　大学生が生きている社会 ……………………………………… 1
　　3　大学生にとってのキャリアデザイン ……………………… 6

## 第 2 章　自己分析 ─────────────────── （波田野 匡章）── 12
　　1　自己分析について ……………………………………………… 12
　　2　自己分析の方法 ………………………………………………… 16

## 第 3 章　基 礎 力 ─────────────────── （波田野 匡章）── 22
　　1　基礎力とは ……………………………………………………… 22
　　2　基礎力の把握 …………………………………………………… 26

## 第 4 章　興　　味 ─────────────────── （波田野 匡章）── 30
　　1　興味とは ………………………………………………………… 31
　　2　職業興味について ……………………………………………… 32
　　3　自分自身の職業興味の把握 …………………………………… 35

## 第 5 章　地域・地方 ───────────────── （安武 伸朗・坪井 晋也）── 39
　　1　地域・地方の現状と課題 ……………………………………… 39
　　2　地域活性化の取り組み ………………………………………… 43

## 第 6 章　企業・業界・職業 ─────────────── （坪井 晋也）── 50
　　1　企業とは ………………………………………………………… 50
　　2　企業組織の基本形態 …………………………………………… 51
　　3　業界について …………………………………………………… 52
　　4　職業について …………………………………………………… 53

## 第 7 章　日本的経営における雇用 ────────────── （坪井 晋也）── 56
　　1　日本的経営について …………………………………………… 56
　　2　変化する雇用システム ………………………………………… 57
　　3　格差の問題 ……………………………………………………… 61

## 第8章　求められる人材像 ————————————（坪井 晋也）—— 64

1　企業が重視する能力 ……………………………………… 64
2　企業が求める人材 ………………………………………… 66
3　企業文化の異なりに関する事例 ………………………… 67
4　経営理念 …………………………………………………… 68

## 第9章　雇用に関する法律知識 ——————————（伊藤 隆史）—— 71

1　はじめに …………………………………………………… 71
2　労働法の基本的なしくみ ………………………………… 72
3　働き始める前に関連する規制 …………………………… 73
4　働き始めてから関連する規制 …………………………… 77

## 第10章　会社のしくみに関する法律知識 ——————（伊藤 隆史）—— 79

1　はじめに …………………………………………………… 79
2　会社法の体系 ……………………………………………… 79
3　株主総会のしくみ ………………………………………… 81
4　取締役会のしくみ ………………………………………… 84
5　資金調達手段 ……………………………………………… 85

## 第11章　職場における自己成長 ——————————（中津川 智美）—— 89

1　社会に出てからの学び …………………………………… 90
2　職場におけるストレスとその対処法 …………………… 92

## 第12章　就職活動 ————————————————（中津川 智美）—— 97

1　就職活動の準備と就職試験について …………………… 97
2　就職活動後について……………………………………… 102

## 第13章　行動計画を立てる ————————————（中津川 智美）— 105

1　大学での学びと目標設定 ……………………………… 105
2　キャリアデザインマップの作成 ……………………… 108
3　デザインマップ—活用の注意点— …………………… 110

## 第14章　これからのキャリアデザイン ——————（安武 伸朗）— 113

1　はじめに ………………………………………………… 113
2　仕事を続ける能力 ……………………………………… 113
3　ワーク・ライフ・バランス …………………………… 116

索　引　123
ワークシート集

# 第1章
# 21世紀のキャリアデザインを知ろう

## 1 はじめに

　大学生のみなさんは「キャリアデザインって，高校でもう教わったよ」「インターンシップで会社の仕事を体験した」という人も多いだろう。中には「はじめて社会の仕組みに触れた」という人や「自立することの大切さがわかった」という人もいる。その結果，社会に適応することを窮屈に感じたり，大人に移行することを不安に覚える場合もあったのではないだろうか。しかしキャリアデザインを学ぶ目的は別のところにある。21世紀をたくましく生きていくために，「社会適応力」に加えて，自分が主体となって社会を創っていく「社会構想力」について，知識と習慣を理解することが本当の目的なのである。

　本章は，テクノロジーの進化に伴う産業や社会の変化と，平均寿命の伸展に伴う人生の変化を背景に，現代の大学生にとってのキャリアデザインについて自分の問いを持ち，これまでの理解をアップデートしていく内容である。

## 2 大学生が生きている社会

### ❶ 第4次産業革命が生み出す変化

　私たちは今，第4次産業革命の世界に生きているとされる。この巨大な変革は否応な

く私たちの生き方や働き方を変え続けている。人類史に残るこの革命は、2016年1月にスイス・ダボスで開催された第46回世界経済フォーラム（World Economical Forum）で定義された[1]。目立った技術として人工知能（AI）やロボットがあるが、本質的な価値はデジタルテクノロジーの急速な進展そのものにあり、あらゆるモノがインターネットを介してつながることで、ビッグデータで構成されるデジタル世界と、私たちが暮らす物理的な世界が融合することで、社会と産業が大きく作り変えられることにある。

　これまでの産業革命を紐解くと、第1次産業革命は、イギリスでの蒸気機関による機械化に始まり、家畜に頼っていた労力が機械に変わったことを言う。第2次産業革命は、電気と石油という新しいエネルギーを用いた工業生産であり、アメリカの自動車産業の発展がその象徴である。第3次産業革命は、コンピューターの登場による生産の自動化、インターネットによる情報通信量の飛躍的な拡大が実現し、現代の私たちの暮らしを形づくった。いずれも、革新的な技術がこれまでの産業のしくみを壊しながら新しい産業を生み出し、社会のしくみや人々の生活のあり方を変えてきたことがわかるだろう。

　さて、第4次産業革命はまさに現在進行形であると同時に、情報通信技術の特徴として、1つの変化が国境や経済の違いを超えて他の出来事に影響を与える速度が20世紀とは比べようがないほど速いために、日々、世界中の産業が変わり続けているといえる。日本ではインターネット販売や携帯電話の普及といった情報通信産業を想像するかもしれないが、世界を見渡すと、自動車や電化製品を生み出す製造業をはじめ、農林水産業、医療・ヘルスケア産業、エネルギー・インフラ産業、サービス業、金融業といった、あらゆる産業に加えて、行政のあり方もデジタル技術によって生まれ変わりつつある。例えば、これまでは個人が購入し所有することを前提としていた自動車産業は、ビッグデータを基にした自動運転技術と社会インフラの整備により、やがて複数の人々が共同で使う移動サービス産業に変わるとされている。すると、エネルギーの生産やコンピューター開発や通信技術、販売の方法、保険のしくみ、法律のあり方など、多くの分野の産業が関連して変化していくことが予想される。これまでの産業革命と同様に、変化したものは元には戻らないのである。

図表1－1　産業革命の特徴

| 革命 | 時期 | 特徴 |
|---|---|---|
| 第1次産業革命 | 18～19世紀初頭 | 蒸気・石炭を動力源とした，紡績など軽工業中心の機械化による経済発展および社会構造の変革。 |
| 第2次産業革命 | 19世紀後半 | 石油・電力を動力源とした，重工業中心の経済発展および社会構造の変革。大量生産，大量輸送，大量消費の時代。自動車は，第2次産業革命を代表する製品の1つ。 |
| 第3次産業革命 | 20世紀後半 | コンピューター，インターネットの出現によるICTの急速な普及による経済発展および社会構造の変革。 |
| 第4次産業革命 | 21世紀 | デジタル技術による自動化ならびにコネクティビティ（あらゆるモノがインターネットにつながるIoTの発展）による，新たな経済発展や社会構造の変革。 |

出所：総務省　情報通信白書2018「第4次産業革命を巡る世界的な動き」を一部修正

## ❷　経済の発展と社会的課題の解決

　日本では2013年より，「日本再興戦略」として産業を成長させる数多くの取り組みを始め[2]，第4次産業革命を踏まえた「Society5.0」（超スマート社会）の推進を提唱した[3]。ここでは社会の発展を狩猟社会（Society1.0），農耕社会（Society2.0），工業社会（Society3.0），情報社会（Society4.0）と捉え，さらにビッグデータを活用して新しい価値を生み出すことで産業と社会を変えるとしている。つまりSociety5.0とは先端技術が人々の作業や調整を代行，支援することで，煩雑で不得手な作業から解放され，誰もが快適で活力に満ちた質の高い生活を送ることができる，人間中心の社会としたのである。例えば，医療や介護の分野では，個人の体温や呼吸，血圧や位置情報などのリアルタイムな計測データと病院や医療技術の情報などを人工知能が解析することで，自動的な健康診断や，最適な治療を実現することが可能となる。また，食品の分野では，個人のアレルギーや冷蔵庫の中身の情報，店舗の在庫や売れ筋の情報を解析して，企業が個人に適した安全な商品を開発したり，廃棄する食材を減らしたり，最適な在庫管理が実現できるようになる。このように年齢や性別に関係なく，誰もが快適に暮らせる社会，煩わしい作業から解放されて時間を有効に活用できる社会，日々の暮らしが楽で楽しい社会，より便利で安全・

安心な社会の姿を描いた内容となった。第４次産業革命によって産業と社会は変化を続けるが，より人間らしい幸福な生き方の実現を目指している点は重要である。

図表１－２　日本再興戦略

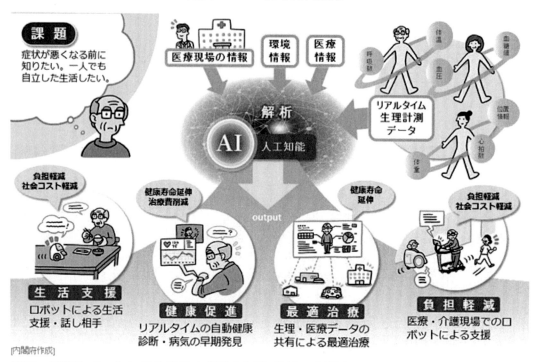

出所：内閣府　Society 5.0『新たな価値の事例（医療・介護）』

## ❸ これからの生き方と働き方

（１）人生100年時代の生き方

　イギリスの経済学者であるリンダ・グラットン氏は，まもなく訪れるとされる平均寿命が100歳を超える時代を捉え，生き方や働き方が大きく変化する必要性を提唱した。20代まで学び，就職して労働し，引退するという，これまで標準と考えていた３つの区切りが変わり，長い人生をたくましく，楽しく生きていくために，みんなが同じ時期に同じことをする時代から，一人ひとりが違った働き方を見出すマルチステージの時代になるとした（リンダ・グラットン，2017：103）。

本著は第13章にも紹介されるが，本章では2017年に内閣が同氏を招いた「人生100年構想会議」において，新しい経済社会システムの政策を協議したことを紹介しよう。

　構想会議では，何歳になっても学び直し，職場復帰や転職が可能になるようなリカレント教育の拡充や，若い学生だけではなく，いつからでも学べるような社会人向けの高等教育の重要性が掲げられた。日本はすでに長寿社会を迎えているが，グラットン氏の指摘のようにこれまでより長く働き続けるためには，転職や復職だけではない人生の再設計が必要である。50歳で起業する，あるいは70歳で大学に行くというように，働く期間の中で何度かのステージの移行を起こすような生き方であり，個人も社会もそのための時間と場所を用意する必要性があるとしている[4]。


（2）採用の変化

　「『日本再興戦略』改定2014」において，政府はこれからの雇用制度の改革を明らかにし，若者が，学校を出て就職し，一生同じ会社で働くシステムはいまや過去のものと記した[5]。経済のグローバル化，少子高齢化を背景として，働く人々の量と質を確保するために，従来の雇用のあり方を見直し，雇用維持型から，労働移動支援型への政策の転換を表明した。これから，企業などの事業所は，当たり前とされてきた終身雇用や頻繁な配置転換に代表される「メンバーシップ型」の働き方だけではなく，仕事の成果で評価される「ジョブ型」の働き方を実現することが予見される。個人も，就職したらその会社に帰属する「就社」の意識から脱却し，一人ひとりが自分の能力や個性に応じた専門性を磨き，自分の価値を最もよく発揮できるような職場や働き方を選ぶことを問われている。

　こうした方針から，厚生労働省は2018年に「副業・兼業の促進に関するガイドライン」を作成した[6]。副業・兼業は労働者にとっては自己実現の追求や，将来の起業や転職にむけた準備として，企業にとっては，労働者のスキルアップや社外から新たな知識・情報や人脈を入れることによる事業拡大として，それぞれメリットがあるとしている。裁判例を踏まえると，企業は原則，副業・兼業を認める方向とすることが適当であると明記した。やりたい仕事がある，スキルアップ，資格の活用，十分な収入の確保などを理由に，個人

第1章　21世紀のキャリアデザインを知ろう｜5

が副業・兼業を希望する場合は，自社の業務に支障をきたさないことを精査した上で認め，そのための環境整備の重要性を説いた。


（3）変化し続ける人生設計

　私たちはこうした方針を理解して，どのような働き方や生き方を考えると良いだろうか。実際に，街の中で Co-Working ができる施設は増え続けている。１つの会社で１つの仕事をするこれまでのような働き方をしていない人が，身の周りに増えている実感はないだろうか。また，仕事が終わるとセミナーに参加して，自分の知識と人脈を増やし続けている若者を見たことはないだろうか。こうした新しい働き方，生き方の変化は大都市圏に集中すると思われがちだが，地方の中核都市においても，行政と企業は変革を模索し続けており，都市から地方に移住して新しい生き方を始める人々も増え続けている。

　産業と社会が変わり続ける現代においては，私たちが生き方に求めるのは安定だけではなく，自らも変わり続けることを楽しむ心構えなのだろうか。大学生にできるキャリアデザインについて，多面的に考えていこう（ワークシート１）。

# 3　大学生にとってのキャリアデザイン

## ❶ キャリアデザインを学ぶ～就業力として

　キャリアという言葉は，用いられる文脈によって幅広い解釈があるが，語源はラテン語でいう Career，馬車が通った後に残る轍（わだち）とされる。人生の歩みが描く軌跡である。狭義では仕事の軌跡，広義では仕事だけではなく，家庭生活や社会での活動も含んだ軌跡と考えると良いだろう。デザインという言葉も多様だが，本来は記号（sign）を用いて計画を表すことであり，計画や設計という捉え方が正しい。

　ここでは，キャリアデザインとはどう生きるかを計画することであり，その手段の１つとして，どう働くかを設計することと考えよう。

さて 2013 年の中央教育審議会が示したキャリア教育・職業教育のあり方では，キャリア教育について，単に卒業時点の就職を目指すものではなく，生涯を通した持続的な就業力の育成を目指して，豊かな人間形成と人生設計に役立つ教育とした。具体的には，社会人・職業人としての基礎能力を育成するとともに，産業構造などの変化に対応できる柔軟な専門性と，高い創造性を養うことである[7]。

　これを学生がキャリアデザインを学ぶ視点として考えると，学部・学科における専門分野の知識や技能を身につけること。職業を通して社会とどのように関わるかについて明確な課題意識と，具体的な目標を持つこと。それを実現するための能力を身につけることという 3 つの要素となり，就業力が，どのように生きるかを設計する上で重要であることに注目したい。

　しかし，学部・学科によって，専門的な学修内容が必ずしも職業と結びつくとは限らない。本答申にも，理工，医療，芸術の分野では結びつきが強く，人文科学や社会科学などの分野では強くないとして，特に後者の学生は，企業と連携したインターンシップや，課題解決型授業（プロブレム・ベースド・ラーニング）などのさまざまな機会を通して，働く意識や職業への理解をより高めることが重要とされる。

## ❷ キャリアデザインを学ぶ〜 21 世紀型スキルとして

　「2011 年にアメリカの小学校に入学した子供の大半は，大学卒業時には現在ない職業につくだろう」とニューヨーク市立大学のキャシー・デビットソン氏は述べた。また，スタンフォード大学のマイケル・オズボーン氏は，2014 年の論文で「アメリカの全ての労働者の約 47% の仕事が，今後 10 年から 20 年の間にテクノロジーにより自動化されるリスクが高い」としている。こうした変化に対応するための教育モデルが，2009 年に国際団体の ATC21s[8] によって提唱された 21 世紀型スキルである。ATC21s はインテルやマイクロソフトといった世界有数の企業と教育研究者による任意団体であり，産業界と教育界のお互いの課題を持ち寄った。

図表1－3　21世紀型スキル

| 1　考える方法<br>　　Ways of Thinking | ①創造力とイノベーション |
| | ②批判的思考，問題解決，意思決定 |
| | ③学ぶことの学習，メタ認知 |
| 2　働く方法<br>　　Ways of Working | ④コミュニケーション |
| | ⑤コラボレーション（チームワーク） |
| 3　仕事のツール<br>　　Tools for Working | ⑥情報リテラシー |
| | ⑦ICTリテラシー |
| 4　世界の中で生きる方法<br>　　Skills for Living in the World | ⑧地域と国際社会での市民性 |
| | ⑨人生とキャリア |
| | ⑩個人および社会における責任（異文化の理解と異文化への適応力を含む） |

出所：眞崎大輔・トーマツイノベーション（2017）「人材育成ハンドブック」

　重要なのは，テクノロジーによって変化を続ける仕事に対して，若者は知識を覚えるのではなく，他者と共同して，未知の課題を創造的に解決する力を習得すべきとしたことだ。内容は，1思考する方法，2働く方法，3仕事のツール，4世界で生きる方法という4つのカテゴリーに分類され，10のスキルで構成されている。これは，小学校から導入する教育モデルだが，大学生や社会人にとっても，生涯にわたり自分を作り続けていく力そのものである。

　なお，21世紀型スキルと日本の教育制度にある「生きる力」との違いは，前者がテクノロジーを活用することで，新しい知識の創出，イノベーションを目的としていること。そのための働き方として，協調的な対話（コミュニケーション，コラボレーション）を優先していることだと，国立教育政策研究所の白石は述べている（白石，2017）。

### ❸　キャリアデザインを学ぶ～正課，正課外を活用して

　大学生が生き方の設計を学ぶのは，キャリア科目や，専門科目，教養科目といった正課の授業時間だけとは限らない。学士の卒業要件である124単位について，大学で授業を受けている時間を4年間の生活すべての時間と比べると，10％以下になるだろう。むし

ろ，大学の中と外，あらゆる時間と場所で，社会への課題意識や，職業の具体的な目標づくりを学ぶ機会はある。

　正課と正課以外の部活やサークルの時間を比較して，学生の成長についての調査を行うと，協調性やチャレンジ精神，リーダーシップといった，自ら主体的に成長した実感の多くは正課外からもたらされていた。中でも，将来の見通しを持っている学生ほど，正課外での成長を実感していたのである（河合，2015：34）。

　また，愛媛大学は授業や研究といった正課と，部活動などの正課外活動の中間に，準正課という学修機会を位置付けている。準正課とは卒業要件には含まれないが，大学の教職員が責任を持って関与し，大学の学習リソースを活用して適切な指導を行う一方で，学生が主体的に課題解決を行うといった，プロジェクト推進の場といえるだろう（村田・小林，2015：50）。

　多くの大学には，授業以外に学生の主体的な活動の機会がある。自ら課題を見つけ，仲間たちと解決していく創造的な力を身につけるには，最適な機会といえる。

## ❹　社会に適応する力と社会を構想する力

　デザイナーという職業がある。20 世紀までは美術の素養を背景として，ポスターを作るような職人的なスキルが重要とされていたことは想像できるだろう。しかし現代のデザイナーたちは，ビジネスとエンジニアリングの専門家たちとコラボレーションして，人々のスマートライフを創出することが最も重要視される能力の１つになっている。わずか10 年で，テクノロジーの進化が彼らのキャリアデザインを変えたのだ。

　本章では，地球全体の産業や社会の変化と，平均寿命の伸展に伴う人生の変化を題材に，大学生が生き方を設計する上でのいくつかの視点を述べた。１つのアプローチが正解ということはなく，現在は有効な手段であっても，年々見直しをして改良していく必要があるだろう。

　では，大学生は，変化し続ける未来を生きていく上で，どのような専門的な知識と大学

内外での経験を手がかりにして人生の目標をつくり，そのための計画を作ればよいのか。生涯を通して働き続ける力を養えば良いのだろうか。実はここにも，明解な答えはないのである。キャリアの授業も専門科目も，これまでの知識から体系的に構成されており，未来にそのまま役立つようにはできていないのだ。

　しかし，見落としてはいけないことは，テクノロジーが生み出す産業も，変わり続ける社会も，一人ひとりがより良く生きたいという思いを実現するために存在しているという楽観的な視点だろう。より人間らしい人生を送り，隣人や，地域や，地球環境を維持するために，多くの人が大学で身につけた知識や技術を土台にして，さらに学びつづけ，自分を更新し続けていくことが当たり前になりつつあるのだ。

　これまでのキャリアデザインの学びは，比較的安定した社会に自分を適応させる側面が強かったかもしれない。しかし現代のキャリアデザインの学びは，それに加えて，変わり続ける社会に対して，自分の考えを持ち，仲間と話し合いながら小さなアイデアを試していくような，自ら社会を構想する力が重要だ。これからの社会は，生まれた時から身近にテクノロジーと共存していた，今の若者が作っていくことになるからだ。

## 【注】

1) 総務省　情報通信白書 2018「第4次産業革命を巡る世界的な動き」
　　(http://www.soumu.go.jp/johotsusintokei/whitepaper/ja/h29/html/nc131100.html)
2) 首相官邸「新たな成長戦略〜『日本再興戦略 -JAPAN is BACK』日本産業再興プラン（成長戦略 2013)」
　　(https://www.kantei.go.jp/jp/headline/seicho_senryaku2013_plan1.html)
3) 内閣府「Society 5.0」
　　(https://www8.cao.go.jp/cstp/society5_0/index.html)
4) 内閣府「人生 100 年時代構想会議　議事録」
　　(https://www.kantei.go.jp/jp/singi/jinsei100nen/dai1/gijiroku.pdf)
5) 内閣府『日本再興戦略』改定 2014
　　(https://www.kantei.go.jp/jp/singi/keizaisaisei/pdf/honbun2JP.pdf)
6) 厚生労働省「副業・兼業の促進に関するガイドライン」
　　(https://www.mhlw.go.jp/file/06-Seisakujouhou-11200000-Roudoukijunkyoku/0000192844.pdf)
7) 文部科学省「キャリア教育・職業教育特別部会（第 30 回）」
　　(http://www.mext.go.jp/b_menu/shingi/chukyo/chukyo10/shiryo/attach/1300247.htm)
8) Assessment & Teaching of 21th Century Skills

(http://www.atc21s.org)

## 引用・参考文献

リンダ・グラットン（2017）『ライフ・シフト』東洋経済新報社

眞崎大輔・トーマツイノベーション(2017)『人材育成ハンドブック』ダイヤモンド社

白石　始(2015)『使って育てて21世紀を生き抜くための資質・能力　第5章』国立教育政策研究所

河合　亮（2015)『正課外教育における学生の学びと成長』大学時報

村田晋也・小林直人(2015)『正課教育，準正課教育，正課外活動』大学時報

# 第2章 自己分析

　自己分析という言葉を初めて耳にしたのは，就職活動を考え始めた時期であるという人が多い。その理由は，就職活動が自分の将来を真剣に考え始める契機になるからである。つまり，自分の将来を考えるためには，現在の自分自身をよく知っておくことが大切なのである。なぜなら，将来の自分は現在の自分の延長線上にあるからである。そう考えると，大学1年の時期に，大学生活あるいはその先の自分の将来について真剣に考えるために，自己分析を行うことは大いに意味のある取り組みだといえるだろう。
　この章で目指すのは，次の2点である。

1. 自己分析とは何かを理解すること
2. 自己分析の方法について知ること

以下，順番にワークシートを活用しながら考えていこう。

## 1　自己分析について

### ❶ 自己分析とは

　自己分析とは，「自分の特徴を理解すること」である。自分の特徴とは，強み・弱み，

得意・不得意，興味・指向，価値観，行動パターンなどの観点で自分をみたときに，みえてくる自分自身の姿のことである。そのみえてきた自分の姿を言語化して，言葉や文字で他者に伝えることができて初めて，「自己分析＝自分の特徴を理解すること」ができたといえる。

## ❷ 自己分析を行う理由

　自己分析を行う理由を端的にいうと「これからの自分の人生（キャリア）をよりよく生きるために活用できる」からである。人生（キャリア）というとイメージしにくいかもしれないが，身近なところでは大学生活や就職活動，その先では卒業後の社会人生活を考えればよい。

　現代は，社会や経済環境の変化スピードが速く，目標を明確に定められないまま，目の前に次から次に現れる仕事に全力で取り組まなくてはならなかったり，急にキャリアの選択を迫られて短期間でどちらに行くのかを決断しなくてはならないことも多い。そのような変化の激しい環境の中で，たとえ大学生であっても，短時間で進む方向を判断して行動することが求められる場面がないとも限らない。だからこそ，自己分析に基づいて自分の特徴を把握し，瞬時に決断や行動ができるための基準を備えておくことが必要だといえる。第３章以降で本格的な自己分析を行うので，その前のウォーミングアップとして，まずは基本的なポイントについて考えてみる。

## ❸ シャインの３つの問い

　では，何から始めればよいのか。まずは，自分が何か活動を行おうとするときの自己イメージを明確にすることが大切である。アメリカの心理学者であるシャイン（Edgar H.Schein）は，仕事を行うときの自己イメージとして，「才能と能力」に関する自己イメージ，「動機と欲求」に関する自己イメージ，「態度と価値」に関する自己イメージを挙げている（シャイン，1991：143）。それは，「自分にできることは何か？」，「自分のやりたい

ことは何か？」、「自分が価値を感じることは何か？」という3つの問いに答えることで明らかになってくる。

　「できること」は、自分が得意なこと、強みと感じられること、あるいは特技だと自覚していること、などから見えてくる。「やりたいこと」は、興味関心があること、今はまだできていないがいずれチャレンジしたいこと、好きな行動など、やりたい気持ちの強弱はあるかもしれないが、以上のような点を手がかりに考えることができる。「価値を感じること」は、行うことそれ自体に意味を感じて一生懸命取り組める、あるいは行うプロセスや結果に対して納得感や満足感を得られる、といったことを思い起こして考えてみる。このようにして、3つの問いへの回答を試みる(ワークシート2-1)。クラブ・サークル活動、アルバイト、ボランティア活動、地域での活動などで、3つの問いに共通に該当する活動があるかもしれない（図表2-1の斜線部分）。そうした活動に対しては、楽しく意欲的に、長い期間にわたって継続的に、参加することが嫌になることもなく安定的に取り組めているというケースが多い。一方で、ほとんど記入できない場合もある。現時点では、あまり心配する必要はない。ただし、この3つの問いは今後の人生（まずは、大学生活や就職活動）において、新しい活動を模索する場合や、新たな道を決断する際に重要な問いになってくるので、このテキストをひと通り読み終えた時点で、再度記入する努力が求められる。

図表2-1　シャインの3つの問い

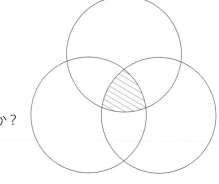

出所：大久保(2006)をもとに筆者作成

# ④ 社会（他者）と自分との関係

　2つ目のウォーミングアップは，社会（他者）と自分との相互関係について考えることである。これからの自分の人生（キャリア）をデザインするうえで，自分の周りにある社会や他者との関係を無視することは不可能である。“社会”の辞書的な意味は，「生活空間を共有したり，相互に結びついたり，影響を与えあったりしている人々のまとまり。また，その人々の相互の関係」「同じ傾向・性質，あるいは目的をもつ人々のまとまり」「（自立して生活していく場としての）世の中。世間」他[1] など多様であるが，ここでは「生活空間を共有したり，相互に結びついたり，影響を与えあったりしている人々のまとまり。また，その人々の相互の関係」を念頭に置いて考えたい。まず自分の周りの“社会”を思い起こしてみる。家族，親せき，親友，大学の友達，クラブ・サークル，アルバイト先の職場，…。数多く出てくる場合もあれば，意外と挙がってこないと感じることもある。

　次に，“社会”（＝人々あるいは組織・団体）と自分との相互関係について考えてみる。ここでの相互関係とは，自分がその“社会”（人々あるいは組織・団体）に対してどのような貢献活動を行っている（行っていた）か，その“社会”（人々あるいは組織・団体）からどのような報酬を得ているか（得ていたか）という観点で捉えてみる。貢献とは，自分の行動が相手の役に立っている，相手のためになっている，相手から感謝されているといった基準で考える。報酬とは，金銭の授受以外に，自分が学べた，喜びを感じた，成長感を味わえた，重要な人脈が築けたなど，自分にとってプラスの効果をもたらしてくれたものを基準に考える。次のステップとして，“社会”と自分との相互関係を挙げてみる（ワークシート2−2）。挙げたものを一通り見渡してみて感じたことを言語化することも重要である。言語化することで，普段はあまり意識していない相互関係に気づくことも多い。貢献と報酬のバランスが極端に偏っている“社会”（家族に対しては報酬過多の人も多いはず）や，また自分が気づかなかった報酬を多く得られている“社会”（実はアルバイトでは，アルバイト代以外にお客様からの感謝の言葉や接客マナーなど多くの自分のためになることを得ていたりす

第2章　自己分析 | 15

る）を認識したり，異なる貢献の仕方に気づいたり，とあらためて"社会"と自分との相互関係のあり方を考えさせられる。ここから，これからどのような"社会"を自分の周りに築いていくのか，現在の"社会"と自分との相互関係をどう築いていくのか，前述の「できること」「やりたいこと」「価値を感じること」を"社会"と自分との相互関係の中でどのように作っていくのかなど，"社会"と自分との関係をじっくりと考えてみることは，「これからの自分の人生（キャリア）をデザインする」ことに大きな影響を及ぼす，大切な自己分析の取り組みといえる。

　以上のようなウォーミングアップをしたうえで，より具体的な観点，強み・弱み，得意・不得意，興味・指向，価値観，行動パターンなどについて，自分の特徴を明らかにするために用いられる方法を次に述べる。

# 2　自己分析の方法

　自己分析を行う際に，一般的に用いる方法として考えられるのは以下の4つである。

① 　これまでの人生の振り返り

② 　他者の協力（自分についてコメントしてもらう）

③ 　アセスメント（テスト）活用

④ 　新しい人・もの（刺激，環境）に対する反応

①〜④のそれぞれについて，具体的な進め方をみていく。

## ❶ これまでの人生の振り返り

　「自分自身のこれまでを振り返る」ときによく活用されるのが，自分史（ワークシート2－3）とライフラインチャート（ワークシート2－4）である。自分史とは，小学校，中学，高校，大学入学以降の年代で，楽しかったことやつらかったこと，得意だったことやうれしかったこととその理由，特に楽しかったことに関してはどんな点が楽しいと感じられた

16 |

のか，つらかったことに関してはどのようにしてその状態から抜け出したのかあるいは克服したのか，などの点に関して，振り返って言語化することである。そうすることで，前述した自己分析の具体的な観点のヒントがみえてくる。ライフラインチャートとは，自分史に記入した各年代における，自分の気持ちの"楽しかった（プラス）""辛かった（マイナス）"の程度を曲線で表したものである。自分史をもとに，それぞれの時期の自分の気持ちのプラスやマイナスの程度を考えて，ライフラインチャートを描く。描きながら，最高潮やどん底のときにどんなことがあった（どんなことを行っていた）のか，その時何を考えていたのか，などに思いを巡らしていくと，ここからも自己分析の具体的な観点のヒントがみえてくる。

## ② 他者の協力

　自分自身のことは，わかっているつもりでも意外とわかっていないものである。友人から指摘されて，自分にはそんなところがあるのか，とはっとした経験がある人も多いと思う。図表2-2は「ジョハリの窓」というアメリカの心理学者であるジョセフ・ルフト

**図表2-2　ジョハリの窓**

<自己分析後>

|  | 自分が知っている自分 | 自分が知らない自分 |
|---|---|---|
| 他人が知っている自分 | 開放 | 盲点 |
| 他人が知らない自分 | 秘密 | 未知 |

| | 自分が知っている自分　② | 自分が知らない自分 |
|---|---|---|
| 他人が知っている自分 | 新たな開放　自分に対する，新たな気付き，発見など　① | 盲点 |
| 他人が知らない自分 | 秘密 | 未知 |

出所：星野（2003）をもとに筆者作成

氏とハリー・インガム氏が提唱した，対人コミュニケーションを円滑に進めるために，自分自身を4つの部分に分けてみつめるためのフレームである。4つの部分とは，「自分が知っていて他人も知っている自分（開放）」「自分は知っているが他人は知らない自分（秘密）」「自分は知らないが他人は知っている自分（盲点）」「自分も他人も知らない自分（未知）」である。

　自己分析の観点からすると，「自分は知らないが他人は知っている自分（盲点）」をなるべく減らす，つまり盲点部分に該当する自分に関することについて他人から教えてもらうことが大切になる。そのためには，強み・弱み，得意・不得意，興味・指向，価値観，行動パターンなどの観点について，まず"①自分のことを相手に語る／自己開示"（「他人が知っている自分」を広げる）。その語ったことに対して，"②相手から率直な指摘をもらう／フィードバック"（「自分が知っている自分」を広げる）というやりとりが必要となる。こうして「新たな開放」部分を大きくすることで，これまで自分だけでは得られなかった気づきや発見を得られ，自己理解が深まる（図表2-2＜自己分析後＞）。

③ アセスメント（テスト）活用

　自分，他者の次は，自己理解（分析）のためのツールの力を活用する。「自己理解ツールを用いる意義には，①内省からだけでは得にくい個人特性の把握，②曖昧な概念にとどまっている自己イメージの明確化（言語化して確信を深める），③キャリアの選択肢に関する情報提供（アセスメントの設問や結果から新しい知見を与える）」（松村，2014：173）といったことが考えられる。ここでは，自己分析のツールとして活用できる代表的なフォーマル・アセスメント（測定結果が安定しており，測定対象を正しく測定し，実施手順が確立されているテスト）を紹介するので，参考にしてほしい（図表2-3）。

図表2−3 自己分析のための主なアセスメント

| アセスメント名 | 概　略 |
|---|---|
| YG性格検査 | 12の性格特性（抑うつ性，劣等感，社会的外向性など）を測定し，情緒の安定性，社会適応性，活動性などの行動特性を知ることができる |
| 東大式エゴグラム（TEG） | 交流分析に基づく自我状態（批判的な親（CP），自由な子供（FC）など）を測定し，対人関係を中心とした行動特性を知ることができる |
| 内田クレペリン検査 | 一桁の足し算を繰り返し，1分ごとの計算量の変化と誤答から，作業面における処理能力と，性格や行動面の特徴を知ることができる |
| キャリア・インサイト | 適性理解，職業理解，職業とのマッチング，キャリア・プランニングなどの機能を持ち，キャリアガイダンスの基本プロセスを体験できるコンピュータシステム |
| R-CAP | 職業興味，価値観，志向を測定し，個人の活きる働き方や職場風土，適性職種などを示す。満足して働く職業人の価値観プロフィールとの合致度を基に判定 |
| VPI職業興味検査 | 職業興味を測定し，ホランドコードに基づく6領域に対する興味傾向と，5領域の職業認知（自己統制，地位志向など）に対する特徴を知ることができる |
| PROG | リテラシー（思考力）とコンピテンシー（行動スタイル）の両面から基礎力を測定する。実社会で活躍する社会人の行動特性をモデルとして，基礎力を客観的に知ることができる |

出所：松村（2014）をもとに筆者作成

 新しい人・もの（刺激，環境）に対する反応

　最後に，初対面の人に出会ったときや，初めてのものを使うとき，また初めての環境に入って活動をするときなど，初めてのものに対して自分はどのように考えて行動するのか，を思い起こしてみる。得意な人は，積極的に初対面の人に話しかけたり，まだ経験したことのない機会に対してどんどんチャレンジした経験が思い起こされるだろう。苦手な人は，初対面の人に対して会話が進まず気まずい思いをしたり，今までやったことがないという理由で，できるだけ避けようとした経験が思い起こされるかもしれない。

　初対面の人やもの，環境に自分から積極的に対応できる人は，これからの大学生活や社会人生活で自分のキャリアを築いていく際に，強みとして機能することも多いだろう。ただし，ただ積極的に取り組めばよいということではなくて，そのつどの結果についても振り返ることが重要である。特にうまくいかなかったことや想定外の結果が出る場合

もあるので，次に行うときにはどのように取り組むかを考えておくことが大切だ。いわゆる "GPDC サイクル" をまわすことに対する意識である。"GPDC サイクル" とは，"G" Goal/ 目標設定⇒ "P" Plan/ 目標達成計画づくり⇒ "D" Do/ 計画実行⇒ "C" Check/ 実行結果の検証⇒新たな目標設定（"G" Goal/ 目標設定）といった取り組みの流れを繰り返すことである。特に「"C" Check/ 実行結果の検証⇒新たな目標設定（"G" Goal/ 目標設定)」のプロセスで，検証結果をもとにさらにレベルアップした目標を設定して，新たな取り組みに向かうことが大切である。

　初対面の人やもの，環境に対応することが苦手な人は，少し冷静に第三者視点で自分と対象との関係を見ることが重要である。そして，苦手と思える理由をできるだけ挙げて書き留めてみる。人見知り，緊張してしまう，やり方がわからないとパニックになってしまう，失敗した時のことを考えて避けたくなる，など。必ず理由はあり，同様に必ず対処策もある。書きだした理由を 1 つずつ見て，どうしたらこれまでと少しでも異なる行動がとれるのか考えてみる。もしどうしても対処策が挙がらなければ，自分の周りにいる初対面の人やもの，環境に対応することが得意そうな友人や大人に相談する。ここで 1 ついえることは，初対面にうまく対処するのは，本能的にできる人もいるとは思うが，うまく対処できる人の大多数は経験からその方法を学んでいるということである。つまり，自転車に乗ることや，サッカーでシュートを決めるのと同様，技術であるということだ。だから，確かに面倒くさいし不安を感じるかもしれないが，最も有効な対策は経験を積むことであるということを念頭に置きながら，トレーニングに励む（経験を積む）ことを通じて，自分なりの対処方法を身につける努力をすることが必要である。

　特に自分の将来の進路選択の際には，「初対面の人やもの（刺激，環境）に出会った時の自分の反応を知る」ことが大変重要となる。例えば就職活動では，初対面の人やものに出会うことが多くなり，そのときの自分の反応を知ることにより，業種・職種・企業・仕事などに対する自分の好き嫌い，さらには「できること」「やりたいこと」「価値を感じること」がより自覚できるようになってくるからである。もちろん，得意・不得意，興味や指向も同様に見えてくる。それゆえ，今から「初対面の人やもの（刺激，環境）に出会った

時の自分の反応を知る」ことをぜひ意識してほしい。


## 【注】

1）『大辞林 第三版』(https://www.weblio.jp/content/%E7%A4%BE%E4%BC%9A?dictCode=SSDJJ
2018年12月4日アクセス)


## 引用・参考文献

大久保幸夫（2006）『キャリアデザイン入門Ⅰ 基礎力編』日本経済新聞社

金井壽宏（2012）『働く人のためのキャリア・デザイン』PHP新書

松村直樹（2014）「自己理解ツール」キャリアデザイン学会監修『キャリアデザイン支援ハンドブック』ナカ
ニシヤ出版

シャイン, E.H. 二村敏子・三善勝代訳（1991）『キャリア・ダイナミックス　キャリアとは，生涯を通しての
人間の生き方・表現である。』白桃書房

寿山泰二（2012）『社会人基礎力が身につくキャリアデザインブック 自己理解編』金子書房

星野欣生（2003）『人間関係づくりトレーニング』金子書房

第**3**章

# 基 礎 力

　基礎力とは，社会あるいは仕事において自立して活動するために必要とされる力のことである。また，日常生活を通じて育成することができる力でもある。それゆえ，自分の基礎力の特徴を把握し，発揮することあるいは伸ばすことを意識した大学生活を送ることにより，卒業後に社会人として自立して活動するために必要な基礎力を身につけることが可能となる。

　この章で目指すのは，以下の2点である。

　① 基礎力とはどのような能力なのかを理解すること

　② 現時点における，自分自身の基礎力の特徴（得意・不得意など）を知ること

　基礎力の内容を理解するとともに，現状の自分自身の基礎力の特徴を知ることで，今後の学生生活あるいは将来のキャリアをデザインするための具体的な行動を描くことを目標とする。

## 1　基礎力とは

　基礎力とは，社会人として求められる基礎的な能力のことであるが，大学生活を充実させるためにも必要なものである。それゆえ，基礎力とは具体的にどういうものなのか，現時点における自分自身の基礎力にはどのような特徴があるのか，について理解しておくことは，これからの大学生活や社会人生活を考える上で大変重要となってくる。

# ❶ 基礎力の定義

　能力という言葉を聞いてまず思い浮かべるのは，コミュニケーション能力ではないだろうか。コミュニケーション能力の具体的内容は，人によってさまざまな解釈があるが，日本経済団体連合会（2018）「新卒採用に関するアンケート調査」など，多くの調査で企業が学生や社会人に求める能力で第1位を占めている。では，なぜ多くの企業がコミュニケーション能力を求めているのか。それは仕事を遂行する上で，また高い成果を生み出すうえで必要であると考えられているからである。このように，どのような仕事にも普遍的に求められ，さまざまな仕事への移転が可能とされる能力を基礎力という。社会の変化が激しく，企業が働く人たちに求める専門知識や能力の変わるスピードも速い現代だからこそ，基礎力を身につけることの重要性は，ますます高まっている。

　基礎力に関して，内閣府，厚生労働省，経済産業省，中央教育審議会では，図表3－1のような定義等を行っている。

　いずれの基礎力に関しても，能力・要件等はさらに細かく分割され具体的に設定されている。それらの能力・要件等に共通に見られるのは，コミュニケーション力のような人間

## 図表3－1　日本の省庁が提唱する基礎力

| 作成省庁 | 基礎力 | 定義等 | 能力，要件等 |
|---|---|---|---|
| 内閣府 | 人間力 | 社会を構成し運営するとともに，自立した一人の人間として力強く生きていくための総合的な力 | ・知的能力的要素<br>・社会・対人関係力的要素<br>・自己制御的要素 |
| 厚生労働省 | 就職基礎力 | 事務系・営業系職種において，半数以上の企業が採用に当たって重視し，基礎的なものとして比較的短期間の訓練により向上可能な能力 | ・コミュニケーション能力<br>・職業人意識<br>・基礎学力<br>・ビジネスマナー<br>・資格取得 |
| 経済産業省 | 社会人基礎力 | 職場や地域社会の中で多くの人々と接触しながら仕事をしていくために必要な能力 | ・前に踏み出す力（アクション）<br>・考え抜く力（シンキング）<br>・チームで働く力（チームワーク） |
| 中央教育審議会 | 学士力 | 学士課程で育成する21世紀型市民の内容（日本の大学が授与する学士が保証する能力の内容） | ・知識・理解<br>・汎用的技能<br>・態度・志向性<br>・総合的な学習経験と創造的思考力 |

出所：文部科学省国立教育政策研究所（2014）をもとに筆者作成

関係を形成する力や，主体性や責任感のような自分の行動を管理する力である。ここからも，これらの力が社会あるいは仕事を行う上で重視されていることがわかる。

## ❷ 基礎力の内容

　この節では，経済産業省が提唱している社会人基礎力[1]を例にとり，基礎力の具体的内容をさらに詳しく見ていきたい。社会人基礎力とは，「職場や地域社会で多様な人々と

図表3-2　社会人基礎力

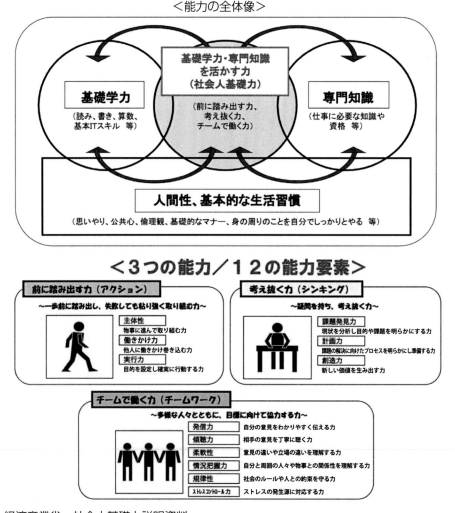

出所：経済産業省　社会人基礎力説明資料

仕事をしていくために必要な基礎的な力」であり，経済産業省が2006年から提唱している。企業や若者を取り巻く社会や経済環境の変化に伴い，学校で身につける「基礎学力」や仕事に必要な「専門知識」だけではなく，それらをうまく活用していくための「社会人基礎力」を育成することが，仕事で成果を生み出すためにはますます重要となってきており，3つの能力／12の能力要素で示されている（図表3-2）。3つの能力とは，「前に踏み出す力（アクション）」～一歩前に踏み出し，失敗しても粘り強く取り組む力～，「考え抜く力（シンキング）」～疑問を持ち，考え抜く力～，「チームで働く力（チームワーク）」～多様な人々とともに，目標に向けて協力する力～　である。さらにこの3つの能力が12の能力要素に分けられている。「前に踏み出す力（アクション）」は，主体性，働きかけ力，実行力の3つ能力要素，「考え抜く力（シンキング）」は，課題発見力，計画力，創造力の3つの能力要素，「チームで働く力（チームワーク）」は，発信力，傾聴力，柔軟性，情況把握力，規律性，ストレスコントロール力の6つの能力要素にそれぞれ分けられている。

　その後，「人生100年時代」によってこれまで以上に長くなる個人の企業・組織・社会との関わりの中で，ライフステージの各段階で活躍し続けるために求められる力として，「人生100年時代の社会人基礎力」[2]が新たに定義された。そこでは，社会人基礎力の3つの能力／12の能力要素を内容としつつ，能力を発揮するにあたって，自己を認識

図表3-3　人生100年時代の社会人基礎力

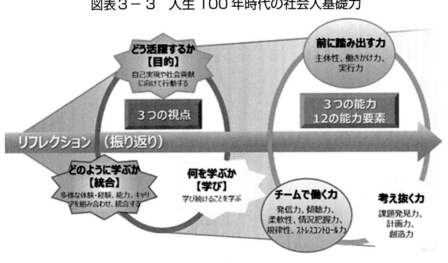

出所：経済産業省　社会人基礎力説明資料

第3章　基礎力　｜　25

してリフレクション（振り返り）しながら，目的「どう活躍するか」，学び「何を学ぶか」，統合「どのように学ぶか」の３つの視点でバランスを図ることが，自らキャリアを切りひらいていく上で必要であると位置づけられている（図表３−３）。

## 2　基礎力の把握

　基礎力とは何か，基礎力の具体的内容について把握できたら，次は実際に基礎力の測定を行い，自分自身の基礎力の特徴を知るとともに，今後伸ばしたい基礎力を明確にして，そのための取り組みを検討する。

### ❶　基礎力のセルフチェック

　ここでは，前節で説明した経済産業省作成の「社会人基礎力」を基礎力として取り上げ測定を行う。**ワークシート３−１**には，３つの能力／12の能力要素ごとに，定義，具体的内容，発揮する際のガイドライン，自己評価記入欄が書かれている。能力要素ごとの定義，具体的内容，ガイドラインをよく読み，自分自身を客観的に評価する。ここで重要なのは，理想の自分や卑下した自分ではなく，日常の行動を思い起こして，できる限り等身大の自分を評価することである。

### ❷　基礎力の表現

　「社会人基礎力」のセルフチェックを終えたら，「社会人基礎力」プロット図（**ワークシート３−２**）の作成を試みる。ここから，自分の「社会人基礎力」の特徴がみえてくる。５や４がプロットされている能力要素は得意な「社会人基礎力」と考えてよいだろう。一方，２や１がプロットされている能力要素は不得意（苦手）な「社会人基礎力」と考えられる。このプロット図に表されている結果が，現状の自分の「（社会人）基礎力」の特徴だといえる。

26

## 図表３－４ 「社会人基礎力」を発揮できた例

| 分類 | 能力要素 | 定義 | 発揮できた例 |
|---|---|---|---|
| 前に踏み出す力（アクション） | 主体性 | 物事に進んで取り組む力 | 自分がやるべきことは何かを見極め，自発的に取り組むことができる<br>自分の強み・弱みを把握し，困難なことでも自信を持って取り組むことができる<br>自分なりに判断し，他者に流されず行動できる |
| | 働きかけ力 | 他人に働きかけ巻き込む力 | 相手を納得させるために，協力することの必然性（意義，理由，内容など）を伝えることができる<br>状況に応じて効果的に巻き込むための手段を活用することができる<br>周囲の人を動かして目標を達成するパワーを持って働きかけている |
| | 実行力 | 目的を設定し確実に行動する力 | 小さな成果に喜びを感じ，目標達成に向かって粘り強く取り組み続けることができる<br>失敗を怖れずに，とにかくやってみようとする果敢さを持って，取り組むことができる<br>強い意志を持ち，困難な状況から逃げずに取り組み続けることができる |
| 考え抜く力（シンキング） | 課題発見力 | 現状を分析し目的や課題を明らかにする力 | 成果のイメージを明確にして，その実現のために現段階でなすべきことを的確に把握できる<br>現状を正しく認識するための情報収集や分析ができる<br>課題を明らかにするために，他者の意見を積極的に求めている |
| | 計画力 | 課題の解決に向けたプロセスを明らかにし準備する力 | 作業のプロセスを明らかにして優先順位をつけ，実現性の高い計画を立てられる<br>常に計画と進捗状況の違いに留意することができる<br>進捗状況や不測の事態に合わせて，柔軟に計画を修正できる |
| | 創造力 | 新しい価値を生み出す力 | 複数のもの（もの，考え方，技術等）を組み合わせて，新しいものを作り出すことができる<br>従来の常識や発想を転換し，新しいものや解決策を作り出すことができる<br>成功イメージを常に意識しながら，新しいものを生み出すためのヒントを探している |
| チームで働く力（チームワーク） | 発信力 | 自分の意見を分かりやすく伝える力 | 事例や客観的なデータ等を用いて，具体的に分かりやすく伝えることができる<br>聞き手がどのような情報を求めているかを理解して伝えることができる<br>話そうとすることを自分なりに十分に理解して伝えている |
| | 傾聴力 | 相手の意見を丁寧に聴く力 | 内容の確認や質問等を行いながら，相手の意見を正確に理解することができる<br>相槌や共感等により，相手に話しやすい状況を作ることができる<br>相手の話を素直に聞くことができる |
| | 柔軟性 | 意見の違いや立場の違いを理解する力 | 自分の意見を持ちながら，他人の良い意見も共感を持って受け入れることができる<br>相手がなぜそのように考えるかを，相手の気持ちになって理解することができる<br>立場の異なる相手の背景や事情を理解することができる |
| | 情況把握力 | 自分と周囲の人々や物事との関係性を理解する力 | 周囲から期待されている自分の役割を把握して，行動することができる<br>自分にできること・他人ができることを的確に判断して行動することができる<br>周囲の人の情況（人間関係，忙しさ等）に配慮して，良い方向へ向かうように行動することができる |
| | 規律性 | 社会のルールや人との約束を守る力 | 相手に迷惑をかけないよう，最低限守らなければならないルールや約束・マナーを理解している<br>相手に迷惑をかけたとき，適切な行動を取ることができる<br>規律や礼儀が特に求められる場面では，粗相のないように正しくふるまうことができる |
| | ストレスコントロール力 | ストレスの発生源に対応する力 | ストレスの原因を見つけて，自力で，または他人の力を借りてでも取り除くことができる<br>他人に相談したり，別のことに取り組んだりする等により，ストレスを一時的に緩和できる<br>ストレスを感じることは一過性，または当然のことと考え，重く受け止めすぎないようにしている |

出所：経済産業省編（2010：39）

　12 の能力要素の結果から，「前に踏み出す力（アクション）」，「考え抜く力（シンキング）」，「チームで働く力（チームワーク）」の３つの能力にも得意，不得意の傾向がみえてくるケースも多い。

　次に，得意だと考える「社会人基礎力」が得意となった理由を考えてみる。その際に，『「社会人基礎力」を発揮できた例』（図表３－４）を参考にしながら，これまでの自分の日常

生活での行動や学校生活での活動を振り返り，どんな日常生活における行動の影響があったのか，中学・高校・大学で行ってきたどのような活動が効果的であったのか，それらの行動や活動を行っていたとき，どのようなことを意識したり考えたりしていたのかを思い起こして書き出してみる（ワークシート3－3）。

　同様に，不得意（苦手）と思われる「社会人基礎力」をうまく発揮できずにネガティブな気持ちになった場面についても思い起こし，どのような行動をしていれば（自分にできるかできないかは考慮しない）ネガティブな気持ちにならずにすんだかを考えて記入する（ワークシート3－3）。

　このように，「（社会人）基礎力」に関して，得意となった理由や苦手と感じる理由，苦手を克服できそうな行動を言語化（表現）することにより，今後同様な場面に遭遇した際に，どのような行動をとるべきかが明確になり，「（社会人）基礎力」を伸ばすあるいは発揮するための行動がとりやすくなる。

## ❸　基礎力を伸ばすための取り組みの検討

　自分の「（社会人）基礎力」の特徴を把握することで，今後伸ばしたいあるいはもっと発揮できるようになりたい「（社会人）基礎力」が明確化される。次に必要なのは，「（社会人）基礎力」を伸ばすための今後の取り組みについて考えることである。

　「社会人基礎力」を発揮できた例（図表3－4）には，一般論として「社会人基礎力」の12の能力要素が発揮できた例が示されている。これを参考に，自分の伸ばしたい「社会人基礎力」を伸ばすための取り組みを考える（ワークシート3－4）。大切なのは，「発揮できた例」として示されている一般的な例について，実際の取り組みを考える場合には，自分の日常生活における行動や活動と結びつけて考えることだ。例えば"主体性"であれば，「自分がやるべきことは何かを見極め，自覚的に取り組むことができる」と書かれている。これを自分の取り組みとして考える場合は，「飲食店のアルバイトのホールスタッフとして，お客様が望んでいることを，お客様をよく観ることで把握し，素早く応えるた

めに，社員の指示を仰がなくても率先して行動できる」というように，なるべく日常生活における具体的な行動レベルで設定することが大切である。

　もう１つ参考になるのは，前項で言語化（表現）した得意な「社会人基礎力」の育成に影響を及ぼした行動や活動，苦手な「社会人基礎力」を克服するための理想的な行動である。自分の得意な「社会人基礎力」を伸ばしてきたプロセスや，苦手な「社会人基礎力」を克服するための理想的な行動には，自分の経験に基づいていたり自分で考えたりしたことであるからこそ多くのヒントがあるし，実行可能性も高い。同様に，友人同士で得意な「社会人基礎力」の育成に影響を及ぼした行動や活動，苦手な「社会人基礎力」を克服するための理想的な行動を共有することも，自分だけでは思いもよらなかった行動や活動を知ることができ，大いに有効な取り組みとなる。

　最後に，基礎力を伸ばすためには，机に向かって考えていても結果は出ない。またむやみに行動しても効果的に向上させることは難しい。筋力トレーニングと同じで，伸ばしたいと考えている基礎力を，日常生活で意識しながら行動や活動することが大切だ。そうした行動や活動によって，充実した大学生活を送ることができるようになり，それが結果として納得できる就職活動を実現させ，期待感に満ちた社会人生活のスタートにつながる。


## 【注】

1）経済産業省 「人生 100 年時代の社会人基礎力」説明資料（https://www.meti.go.jp/policy/kisoryoku/
　 2023 年 6 月 24 日アクセス）
2）経済産業省　人生 100 年時代の社会人基礎力（https://www.meti.go.jp/policy/kisoryoku/　2023 年
　 6 月 24 日アクセス）


### 引用・参考文献

大久保幸夫（2006）『キャリアデザイン入門 I 基礎力編』日本経済新聞社
経済産業省編（2010）『社会人基礎力　育成の手引き ──日本の将来を託す若者を育てるために』朝日新聞出版
旦まゆみ（2017）『自立へのキャリアデザイン 地域で働く人になりたいみなさんへ』ナカニシヤ出版
日本経済団体連合会（2018）『新卒採用に関するアンケート調査』
松村直樹・平田史昭・角方正幸（2017）『新キャリア開発支援論　AI 時代のキャリア自律に向けて』学事出版
文部科学省国立教育政策研究所（2014）『キャリア発達にかかわる諸能力の育成に関する調査研究報告書―もう一歩先へ，キャリア教育を極める―』実業之日本社

# 第4章 興味

　日常生活において，興味を抱く対象は数々あるが，時間の経過とともに，興味がより深くなるものもあれば，まったく興味がなくなるものもある。興味が深く強くなっているものに注目すると，その対象に対して肯定的な気持ちを抱くことができる，あるいはもたらしてくれることがわかる。この興味を抱く対象を明らかにして，職業との関連を考えるのが本章の目的である。

　この章で目指すのは，以下の3点である。

① 興味が職業理解や選択にどのように活かせるのかを理解すること
② 現時点における，自分自身の職業興味を把握すること
③ 職業興味を活用した職業探索の方法や就職活動への活用法を知ること

　現状の自分自身の職業興味を把握することで，職業理解の促進や職業探索のための具体的な行動を描けるようになることを目標とする。

# 1　興味とは

興味とは，日常において頻繁に使う言葉であり，概念としてもなじみの深いものであるが，定義はさまざまな観点からなされており，以下にいくつか示してみる。

「ある対象に対する特別の関心」（小学館『デジタル大辞泉』），「おもしろいと感じる気持ちや，知りたいと食指を動かされるような気持ち」（小学館『使い方の分かる　類語例解辞典　新装版』），「ある対象（事物や活動など）についての積極的な選択の構えを関心といい，それに好きという情動的な心的状態が加わったもの」（小学館『日本大百科全書（ニッポニカ）』），「個人と環境との相互作用によって生じる現象」（湯ほか，2016）など。

これらの定義から，「興味は，ある対象について，おもしろいとか好きといった肯定的な気持ちを抱き，自分とその対象（を取り巻く環境）との相互作用から生じる」と考えることができる。また，興味について時間軸を用いてみてみると，瞬間的に感じる興味と永続的に持ち続けている興味があるということが，経験からもわかる。前者のような一時的な心理的状態として抱く興味は状況的興味と呼ばれ，それに対して後者の持続的で個人的な特性としての興味は個人的興味と呼ばれる（田中ほか，2017）。

さらに，状況的興味には「誘発された状況的興味」と「維持された状況的興味」，個人的興味には「発現した個人的興味」と「深化した個人的興味」の各局面があるとされ，それぞれの局面は，感情，知識，価値の量などの違いによって区別される。すなわち，一時的な感情などによって生じる「誘発された状況的興味」が，それに対して持続的に注意を向けたり取り組んだりすることにより「維持された状況的興味」へと深化し，面白さや価値を認知することで「発現した個人的興味」になり，その興味について知識を蓄積して価値を感じることで繰り返し取り組みたいと長期的に望む「深化した個人的興味」へと深化する。このように，興味は，深化するにつれて，持続性が高まるだけではなく，価値の認知や知識の蓄積が伴うことが指摘されている（田中ほか，2017）。

第4章 興　味 | 31

# 2　職業興味について

　前節では，興味は対象に対する肯定的な気持ちが，対象やその環境と相互作用することによって生じ，状況的興味から個人的興味へと深化する，ということを学んだ。本節では，その対象や環境を "職業" とした場合に，人は興味をどのように深化させるのかについて考えてみる。

## ❶　職業興味とは

　職業興味とは，文字通りある職業に対して抱く興味のことである。興味を抱く職業に就くということは，職務を遂行し適応するための重要な要因となり，本人に満足感や充実感をもたらし，社会や企業には人材の有効活用をもたらすと考えられる（胡，2009）。したがって，職業興味は職業を選択する際の判断材料として欠かせない概念である。

　では，人はどのようにして職業に対して興味を抱くようになるのか。幼い頃に，日常の何らかの経験（人との出会いや，テレビやインターネットなどの視聴，読書など）によって憧れを抱き，漠然とした興味を抱くことはよくみられる。特定非営利活動法人日本ファイナンシャル・プランナーズ協会が毎年発表している『小学生「将来なりたい職業」ランキング』[1] のトップ10をみると，世相も色濃く反映され，その点が如実に表れている。しかし，その「将来なりたい職業」に，実際に就くことはあまりみられない。職業についての知識が増えるにつれて，またさまざまな経験を積み重ね，自分自身に対する理解や認知が深まるにしたがって，職業興味は変わる。あるいは対象としての職業があいまいになってくる。そうした場合に必要となるのが，自分の知識や経験の範囲外の職業に対象を求めることである。未知の職業を探索したり，職業理解を促進するための取り組みを行うことである。ただし，世の中のすべての職業を対象として探索や理解を図ることは難しい。なぜなら，厚生労働省編職業分類では職業名が 17,209（労働政策研究・研修機構，2011）に

も上るからである。そこで，現時点における自分の興味をまず把握して，それを活かせ
そうな職業分野を探すことから始めてみるほうが取り組みやすい。自分の興味を活かせ
そうな職業分野を探そうと考えた際に，活用できるのが職業興味検査（アセスメント）で
ある。いくつかあるフォーマル検査の中でも代表的なのは，米国の心理学者であるホラ
ンド（Holland, J. L.）が自身の職業選択理論をベースに開発した VPI 職業興味検査（VPI:
Vocational Preference Inventory）である。

## ❷ ホランドの職業選択理論

　ホランドは職業選択理論において，人の特徴は 6 つのパーソナリティ・タイプと類似
度で説明でき，人が生活し働く環境の特徴は 6 つの環境モデルと類似度で説明できると
している。また，職業興味はパーソナリティの重要な一側面であり，人の職業的な満足や
安定性，業績は，個人のパーソナリティとその人が働く環境との一致度で決まる，と述べ
ている（ホランド，2013）。

　6 つの環境モデルは図表 4 − 1 のように，R：現実的領域，I：研究的領域，A：芸術
的領域，S：社会的領域，E：企業的領域，C：慣習的領域の 6 つの領域に分類されて表
される（六角形モデル）。そして，各領域に該当する職業が図表 4 − 1 のそれぞれの領域
に記されている。「R：現実的領域」であれば，「【R】現実的領域の職業」のガソリンスタ
ンドサービス員，建設機械オペレーターなどや，「【I】領域に近い職業」の機械技術者，
建築士など，「【C】領域に近い職業」の IC 製造工，植木職人などが当てはまる。隣接す
る領域は，それぞれの領域の職業が要求する興味が類似していることを意味している。ま
た，各職業領域に該当する職業の特徴については，図表 4 − 2 の「適合する職業」に示
されている。「【R】現実的」であれば，機械を扱う仕事，動物に触れる仕事，‥‥ など，
図表 4 − 1 の「R：現実的領域」に該当する職業において具体的に求められる仕事内容
が挙げられている。

　また，6 つのパーソナリティ・タイプとは，人がさまざまな経験をして成長してきた結

第4章 興　味 | 33

## 図表４−１　職業一覧（仕事と職業の六角形）

**現実的領域 R**

【Ｉ】領域に近い職業
機械技術者，建築士，航空整備士，
自動車整備士，造園師，
通信士，動物園飼育係，
土木技術者，酪農家，料理人

【Ｃ】領域に近い職業
ＩＣ製造工，植木職人，
機械修理工

【Ｒ】現実的領域の職業
ガソリンスタンドサービス員，
建設機械オペレーター，消防士，
パティシエ，漁師

**研究的領域 I**

【Ｒ】領域に近い職業
化学試験分析員，工学研究者，
歯科医師，獣医師

【Ａ】領域に近い職業
科学雑誌編集者，
ゲームクリエイター

【Ｉ】研究的領域の職業
科学研究者，学芸員，
システムエンジニア，調査員，
薬剤師，臨床検査技師

**芸術的領域 A**

【Ｉ】領域に近い職業
イラストレーター，
インテリアコーディネーター，
ＷＥＢデザイナー，商業カメ
ラマン，服飾デザイナー

【Ａ】芸術的領域の職業
声優，タレント

【Ｓ】領域に近い職業
演出家，シナリオライター，
通訳，俳優，翻訳家，
ファッションモデル，
メイクアップアーティスト

**慣習的領域 C**

【Ｒ】領域に近い職業
庶務係事務員，倉庫事務員，
レジ係

【Ｃ】慣習的領域の職業
一般事務員，コンピュータ・オペレータ，
受付事務員，コンピュータプログラ
マー，会計事務員，事務機器捜査員，
税理士，経理事務員，医療事務員，
診療情報管理士

【Ｅ】領域に近い職業
行政書士，公認会計士，
速記者，電話交換手

【Ｃ】領域に近い職業
銀行支店長，商社事務員，
マーケット・リサーチャー

**企業的領域 E**

【Ｅ】企業的領域の職業
アナウンサー，営業課長，裁判官，
商店経営者，セールスエンジニア，
チームリーダー，販売促進員

【Ｓ】領域に近い職業
会社社長，店長，工場長，商社
営業部員，新聞記者，政治家，
生命保険外交員，ホテル支配人，
ウェディングプランナー

**社会的領域 S**

【Ｓ】社会的領域の職業
医師，介護福祉士，看護師，
社会福祉士，警察官，児童相談員，
販売店員，コンシェルジュ，
レスキュー隊員，栄養士，
スポーツインストラクター

【Ａ】領域に近い職業
教師（教員），司書，美容師，
保育士，ホームヘルパー，
エステティシャン

【Ｅ】領域に近い職業
外交官，カウンセラー，
航空客室乗務員，
公務員（地方・国家），
旅行会社添乗員

出所：厚生労働省　「ジョブ・カード活用ガイド」[2]

果，抱くようになった興味を表したものであり，環境モデルと同様に，Ｒ：現実的，Ｉ：研究的，Ａ：芸術的，Ｓ：社会的，Ｅ：企業的，Ｃ：慣習的に分類される。各タイプの特徴を説明しているのが，図表４−２の「パーソナリティタイプ」である。「【Ｒ】現実的」であれば，「機械や物を対象とする具体的な活動に興味がある」ということになる。

　前述したVPI職業興味検査では，６つのパーソナリティ・タイプごとの興味の強さが結果として示される。６つのパーソナリティ・タイプは６つの環境モデル（六角形モデル）の６領域と適合するので，この結果をもとに，強い興味を示したパーソナリティ・タイ

34

**図表4-2 6領域の特徴**

| | | パーソナリティタイプ | 適合する職業 |
|---|---|---|---|
| 【R】 | 現実的 | 機械や物を対象とする具体的な活動に興味がある | ・機械を扱う仕事　・動物に触れる仕事<br>・身体を動かす仕事　・ものを扱う仕事　・運転する仕事 |
| 【I】 | 研究的 | 研究や調査のような活動に興味がある | ・研究する仕事　・考える仕事<br>・調査する仕事　・分析する仕事 |
| 【A】 | 芸術的 | 音楽，美術，文芸など芸術的な活動に興味がある | ・創造的な仕事　・表現する仕事<br>・アイディアを生み出す仕事　・感性を活かす仕事 |
| 【S】 | 社会的 | 人に接したり，奉仕するような活動に興味がある | ・人と接する仕事　・人に奉仕する仕事<br>・人を教える仕事　・人を助ける仕事 |
| 【E】 | 企業的 | 企画したり，組織を動かすような活動に興味がある | ・企画する仕事　・人や社会を動かす仕事<br>・監督する仕事　・組織を運営する仕事<br>・リーダーシップを発揮する仕事 |
| 【C】 | 慣習的 | 定まった方式や規則に従って行うような活動に興味がある | ・事務的な仕事　・正確さが求められる仕事<br>・反復作業が多い仕事　・規則的な仕事<br>・整理したり管理したりする仕事 |

出所：厚生労働省　「ジョブ・カード活用ガイド」[2]

プと適合する職業領域に注目することにより，自分の職業興味についての理解の促進と興味を活かせそうな職業探索を行うことができる。

# 3　自分自身の職業興味の把握

　職業興味とは何かについて理解した後は，実際に職業興味の測定を行い，自分自身の職業興味の特徴を理解する。そして，その特徴と適合する職業分野にある職業を取り出して，仕事内容などの詳細を調べることを通じて，今後のキャリアデザインや就職活動への活かし方を検討する。

**❶　職業興味分野の探索**

　ここでは，前節で説明したホランドの「職業選択理論」を用いて，自分の職業興味を理解し，それと適合する職業分野を探す。**ワークシート4**には，設問が30問あり，興味の度合いに合わせて「とても興味がある」「興味がある」「興味がない」の3段階で回答する。

ここで重要なのは，実際にその仕事に就くかどうか，現実にできるかどうかという点はまったく考慮せずに，あくまでも自分の感じる興味の程度で回答することである。

30問すべての回答が終了したら，**ワークシート4**に記載されている手順に従って，R・I・A・S・E・C各領域の合計得点を計算し，合計得点の高い領域上位3つをチェックする。その3つの領域が，自分のパーソナリティ（興味）タイプであると考えられる。

次に図表4－2で，得点の高かった3分野の「パーソナリティタイプ」と「適合する職業」の内容をよく確認し，各分野に関して，図表4－1の職業領域で，どのような職業が該当するのか，その中に興味を抱く職業があるのかを確認してみる。

## ② 職業理解の促進

自分の「パーソナリティタイプ」と適合する3分野の職業領域に該当している職業は，あくまでも"興味"が適合していることを示しており，実際に就くかどうか，できるかできないかといった実現可能性や能力を判定しているわけではない。だからこそ，これらの職業について，実際に就いている人の話を直接聴く，インターンシップに参加して職業を体験する，ウェブサイトや書籍などを活用して理解を進める，などの方法で，各々の職業についての興味を深化させたり，あるいは逆の感情を抱いたりすることが重要である。そうすることで，今後のキャリアデザインや就職活動における職業選択に活かすことができるようになる。

職業理解に手軽に取り組める方法としては，公的機関や民間の人材サービス会社のウェブサイトの活用が挙げられる。特に，厚生労働省の職業情報提供サイト（日本版O-NET）jobtag[3]では，調べたい職業を検索すると，仕事内容について文字だけではなく，動画での説明や細分化された仕事の実施割合，就職するために必要な知識や資格，労働条件の特徴，仕事で求められるスキル，類似の職業，関連する業界団体へのリンクなどが掲載されており，合計で489の職業の解説と数値情報を得ることができる。

## ❸ 就職活動における活用

　就職活動の標準的な流れでは，まず準備期間に行うこととして，自己分析と業界・企業研究が挙げられる（第12章参照）。この2つの活動はまさに就職活動を推進するための両輪である。自己分析を行うことで，自分が興味を抱くあるいは志望する業界や企業が明らかになれば，その業界や企業を研究し理解を深めていく。それによって，さらに興味や志望度が高まることもあれば，新たな興味や志望が派生したり，あるいはまったく興味を失うことにより，新たな自分に気づく，といったこともある。このように，自己分析と業界・企業研究は，相互に作用を及ぼすことで就職活動を推進させる。自己分析における職業興味の発見，業界・企業研究における職業領域の選定は，就職活動の第一歩といえる。実際に，大学生を対象とした調査から，自分の職業興味についての情報を与えられた学生はそうでない学生よりも，職業情報の検索効率性が高く，検索した職業情報についての満足度も高いということが見いだされており（室山，1997），職業興味が職業選択活動や職業決定を規定する重要な変数であると考えられている（安達，2003）。

　「好きこそものの上手なれ」ということわざにもあるように，どんなことであっても，人は好きなものに対しては熱心に努力し上達が早い。職業に関しても，職業興味の深化とともに，自分自身の強みや特技，あるいは能力を強化するということができ，就職後の職務遂行や，仕事への満足感や充実感を考慮すると，職業選択を行う際に，自分の職業興味を理解して取り組むことが，より望ましいと考えられる。

### 【注】

1）特定非営利活動法人日本ファイナンシャル・プランナーズ協会（https://www.jafp.or.jp/personal_finance/yume/syokugyo/　2022年6月12日アクセス）

2）厚生労働省　人材開発統括官『ジョブ・カード活用ガイド　就業経験のない方学卒者等向け』6〜7ページ（https://jobcard.mhlw.go.jp/advertisement/download.html　2022年5月29日アクセス）

3）厚生労働省　職業情報提供サイト（日本版O-NET）jobtag（https://shigoto.mhlw.go.jp/User/　2022年6月12日アクセス）

## 引用・参考文献

安藤智子（2003）「大学生の職業興味形成プロセス―手段性・表出性，自己効力感，結果期待の役割について―」『教育心理学研究』51，308～318ページ

デューイ , J., 宮原誠一訳（2005）『学校と社会』岩波書店

Holland, John L. (1992) "Making Vocational Choice SECOND EDITION", Psychological Assessment Resources, Inc.

ホランド , J. L., 渡辺三枝子・松本純平・道谷里英訳（2013）『ホランドの職業選択理論―パーソナリティと働く環境―』雇用問題研究会

胡　琴菊（2009）「職業興味の構造に関する研究の検討」『名古屋大学大学院教育発達科学研究科紀要　心理発達科学』56，105～112ページ

室山晴美（1977）「自己の職業興味の理解と進路に対する準備度が職業情報の検索に及ぼす効果」『進路指導研究』18（1），17～26ページ

西川一二（2015）「好奇心＝興味？（2）―教育的興味と好奇心の比較―」『関西大学心理学研究科心理学叢誌』14，20～29ページ

労働政策研究・研修機構（2011）『第4回改訂　厚生労働省編職業分類 職業名索引』労働政策研究・研究機構

労働政策研究・研修機構編（2016）『新時代のキャリアコンサルティング―キャリア理論・カウンセリング理論の現在と未来』労働政策研究・研究機構

田中瑛津子・市川伸一（2017）「学習・教育場面における興味の深化をどう捉えるか―鼎様相モデルによる諸研究の分析と統合―」『心理学評論』60（3），203～215ページ

湯　立・外山美樹（2016）「大学生における専攻している分野への興味の変化様態―大学生用学習分野への興味尺度を作成して―」『教育心理学研究』64，212～227ページ

渡辺三枝子編著（2018）『新版　キャリアの心理学〔第2版〕 キャリア支援への発達的アプローチ』ナカニシヤ出版

全米キャリア発達学会　仙崎　武・下村英雄編訳（2013）『D・E・スーパーの生涯と理論―キャリアガイダンス・カウンセリングの世界的泰斗のすべて』図書文化

第**5**章
地域・地方

# 1　地域・地方の現状と課題

　地域・地方の現状と課題を考える際に，いくつかのキーワードが挙げられるが，中でも特に課題の中心として位置づけられるキーワードとしては，「少子高齢化」，「東京への一極集中」が挙げられるであろう。

**❶　少子高齢化**

　まずは少子高齢化について見てみよう。少子高齢化という現象を招いている少子化をみてみると，それは我が国の出生数・出生率の推移から明らかであろう。

　図表５－１「日本の出生数・出生率の推移」から明らかなように，出生数・出生率は1970年代半ばから，長期的に近年まで減少傾向が続いている。

図表5−1　日本の出生数・出生率の推移

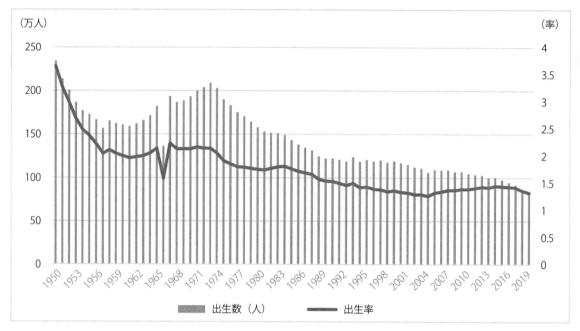

出所：厚生労働省政策統括官付参事官付人口動態・保険社会統計室「人口動態統計」[1]

図表5−2　年齢3区分別割合の推移

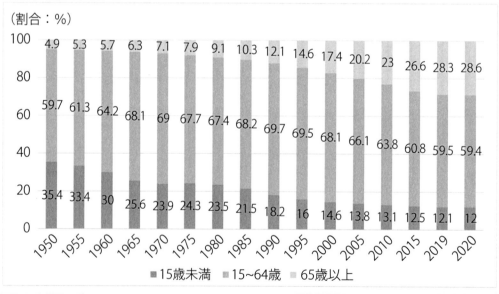

出所：総務省統計局「国勢調査」及び「人口推計」より筆者作成[2]

その結果，図表５－２「年齢３区分別割合の推移」からみてとれるように，1950年において全人口における65歳以上の割合は4.9％に過ぎなかったが，出生数・出生率の長期的減少傾向を受けて，年を追うごとに全人口に占める高齢者の割合は増加の一途となっている。

そうした動きに歯止めがかかる様子はみられないことから，我が国における深刻な問題の１つとなっているといえよう。

## ❷ 東京への一極集中

図表５－３「東京圏への転入超過数（1955－2019）」における東京圏とは，生活圏として一体とされる東京都，神奈川県，千葉県，埼玉県の１都３県を指す。

この図表からは東京圏における，転入者数から転出者数を差し引いた転入超過数の推移が示されている。1955年から2019年までの推移をみても，転入超過数の増減の変化はみられるものの，ほぼ一貫して東京，東京圏への一極集中が進んできた傾向が認められるであろう。

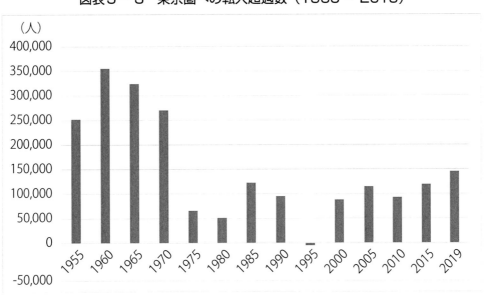

図表５－３　東京圏への転入超過数（1955－2019）

出所：総務省統計局住民基本台帳人口移動報告より筆者作成[3]

つまりこれら「少子高齢化」と「東京への一極集中」というキーワードなくして，今日的な地域・地方の課題は語れないといえよう。構図的には，「少子高齢化」による人口減少に加えて「東京への一極集中」が主な複合的要因となり，地域・地方の疲弊につながっているとされる。

くわえて若い世代のキャリア選択の視点からも注目されるのは「東京への一極集中」の内容である。東京，東京圏への転入が超過し続けていることはすでに述べたが，内容的にみて，その転入超過者数の大半は 15 歳〜 29 歳が占めている。

「まち・ひと・しごと創生総合戦略」（2020 改訂版）[4] によれば，例えば 2019 年の東京圏への年齢階級別転入超過数 145,576 人の主な内訳として，15 歳〜 19 歳 25,371 人（17％），20 歳〜 24 歳 80,985 人（55.6％），25 歳〜 29 歳 26,192 人（18％）となっていて，15 歳〜 29 歳の転入超過者数が全体の 9 割を超えている。

また「若年層における東京圏・地方圏移動に関する意識調査」（2019 年 4 〜 5 月調査）[5] の調査結果によれば，20 歳〜 24 歳での，地方圏から東京圏への移動（住民票を移した）理由として，「進学するため移した」（20.7％），「大学等を卒業し，就職するため移した」（33.4％），「進学等を機に既に居住していたが，就職が決まったため住民票を移した」（10.1％）となっていて，進学，就職を理由にした割合が全体の 6 割を超えている。

つまりとりわけ東京，東京圏を中心とする大都市圏へ，地域・地方の若い世代が大学等進学や，就職などを主な理由として流入していることに他ならないであろう。いいかえれば，ただでさえ少子化で人口減少している地域・地方から，若い世代が流出していて，地域・地方の人口減少に拍車をかけているといえる。さらにこのことは，生産年齢人口が減少していることを意味している。このように地域・地方においては，地域社会の担い手が減少することで労働力不足，後継者不足など，社会的にも経済的にも大きな課題を生じさせることとなっているといえよう。この点に今日，地域・地方において対応すべき課題がみられると考えられよう。

したがって地域・地方においては以上のことをふまえたうえで，特に若い世代に対し，地域・地方生活の魅力の発信，雇用創出などの諸施策を講じることで，地域活性化，地方

創生をより強くすすめていく必要があるであろう。

# 2　地域活性化の取り組み

　地域活性化，地方創生について，国，地方自治体は前述したまち・ひと・しごと創生総合戦略第1期（2015〜）第2期（2020〜）においてさまざまな政策を施行してきた。大学生のキャリアデザインの観点から，地域おこし協力隊と大学による地域課題への対応を取り上げる。

## ❶ 地域おこし協力隊

　総務省が地域力の創造・地方の再生を目的として行っている施策のなかでも，個人による移住と課題解決の可能性に着目したのが地域おこし協力隊である。都市部から地方の過疎地域に住民票を移し，地域ブランドの開発，PR等の地域おこし支援や，農林水産業への従事，住民支援などの地域協力活動を行いながら地域への定住・定着を支援する取り組みであり，地方への人の流れを生み出すことを目的とした人的支援といえる。

　隊員は各自治体から委嘱を受けて活動を行い，1年以上，3年未満の任期の間は総額480万円，任期終了後に起業・事業継承する場合に最大100万円の財政措置を受けることができる。こうした支援を受けていわゆる「若者」，「ヨソモノ」，「女性」の隊員たちが地域にはない視点や知識を基にしてさまざまな協力活動を行うことにより，地域が活性化するとともに，当事者である隊員たちの人生設計にも新しい視点が生まれる事例が次々に挙がっている。図表5−4「地域おこし協力隊の隊員数，取り組み団体の推移（2009−2021）」に見られるように，2021年度に約6,000名の隊員が全国で活動しており，総務省は2024年度に8,000人に増やす目標を掲げ，募集や支援の強化が計画されている。

第5章　地域・地方　| 43

図表5－4　地域おこし協力隊の隊員数，取り組み団体の推移（2009 － 2021）

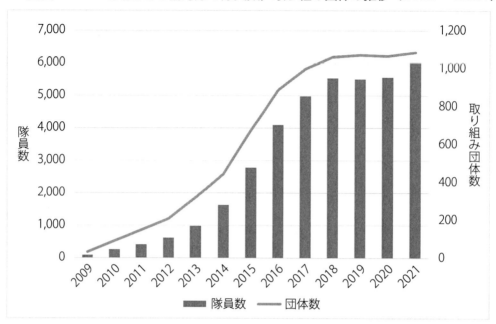

出所：総務省「令和3年度地域起こし協力隊の隊員数等について」より筆者作成[6]

　協力隊の実態はどうであろうか。2021年3月までに任期終了した隊員約8,000人を対象とした調査によると，図表5－5「任期終了した隊員の基礎情報（男女別年代比）」に見られるように，男女比では約4割が女性，年齢比では約7割が20代，30代である。また任期後にその地域に定住する率は6割を超えており，定住者のうち約4割が起業，約4割が就業，約1割が就農・就林であった。起業の例は古民家カフェなどの飲食サービス，ゲストハウスなどの宿泊業の他，美術家やデザイナー，農産物の通信販売などが多い。就業・就農などの場合では行政職員と農業従事のほか，観光業や地域づくり支援など多岐にわたっている。これらは協力隊が地域社会に生み出す成果が，任期中における協力活動といった限定的な内容のみならず，任期後も確実に地域に持続的な発展を生み出しているといえるだろう。

　例えば岡山県倉敷市では，地域を代表する繊維産業が経済のグローバル化の進展に伴う大規模工場の海外生産などを要因として，最盛期の5分の1程度まで規模が縮小した。一方で倉敷市児島地区は，日本のジーンズ生産の発祥の地として同産業が集積し，児島

図表5-5　任期終了した隊員の基礎情報（男女別年代比）

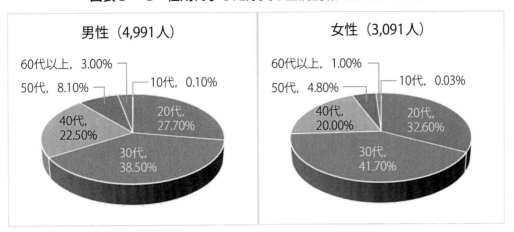

出所：総務省地域力創造グループ　地域自立応援課「令和3年度地域起こし協力隊の定住状況等に係る調査結果」より筆者作成[7]

　ジーンズストリートを中心に活性化を図っている。こうした背景の中，児島地区の地域おこし協力隊に応募した若者（I氏）は，地域の商工会議所を中心に多くの企業や地域の人々と交流を図る過程で，廃棄されるデニム生地の実態に課題を覚え，使われなくなったジーンズから再びジーンズを作ることができるサーキュラーエコノミー（循環型経済）のしくみを開発して，land and under というアパレルブランドを起業した。同社は高い品質とともに，複数の生産者や工場を交えた地域活性化と社会課題の解決を果たす活動として多くの注目を集めることとなり，さらにI氏はカフェやゲストハウスの経営，オンラインコミュニティの創出など，同地域でさまざまな社会活動を続けている。

　他方，協力隊の活動の成功には，若者を迎える側の課題が明確であることやサポート体制が欠かせないとされる。田口（2018：158）は「着任しても具体的なミッションが与えられない」「活動が制限されて自由な取り組みができない」「隊員のイメージと地域活動にあるズレ」など，行政担当者や受け入れ団体との協議の重要性を指摘した。行政も地域おこし協力隊サポートデスクの設置や協力隊OB・OGを中心とする専門相談員を配するなど，支える仕組みを充実させている。

## ❷ 大学による地域課題への対応

　地域活性化において欠かせないのが地域社会への住民参画である。少子高齢化，産業の空洞化，デジタル技術の急速な進展など多様化する地域課題の解決を行政のみに委ねるのではなく，それぞれの地域社会を担う各地の企業や事業者，一人ひとりの住民が担い手になることが不可欠な時代といえるだろう。その中で大学が生み出している研究成果を地域に還元し，行政や市民と協働して実際の課題解決に役立てる地域連携は，大学の責務としても研究の進展の上でも重要とされている。

　実際，都道府県や市町村などの地方自治体との間に包括協定等を締結している大学の数について，朝岡・澤田（2016）は，全国には2016年3月31日時点で1,510の協定があり，調査で把握しきれなかった協定や非公開の協定もあると考えられるため，実際にはより多くの協定が存在すると述べている。

　例えば静岡市は自治体と大学が地域の課題に適切に対応し，活力ある個性豊かな地域社会の形成と発展ならびに人材の育成に寄与することを目的として，市内にキャンパスがある複数大学，短期大学と包括協定を結んでいる。また大学連携事業の一環として，しずおか中部連携中枢都市圏（静岡市，島田市，焼津市，藤枝市，牧之原市，吉田町および川根本町）と都市圏内の大学・短期大学との間で地域課題解決事業を運営し，地域課題の解決について大学と一体になった研究を続けている。2022年度に静岡市から大学等に依頼があった研究課題と調査研究を担当する学部の例を見ると，地域活性化に対して大学や学生との関わりがいかに深いかが理解できるだろう。

　・駿河まなびのまちグランドデザインの実践／地域創造学環

　・「健康長寿のまち」普及啓発向上に向けた分かりやすい広報戦略／造形学部

　・人口減少が続く中山間地の移住者増加策の検討／経営学部

　・「しずまえ鮮魚」を用いた新商品の開発／海洋学部水産学科

また，複数の大学等が連携して地域社会に向けて地域活性化を行う取り組みとして，大学コンソーシアムを介する事業がある。大学コンソーシアムは地域の近隣の大学などが加盟する共同組織であり，2022年4月1日現在で46の組織が全国大学コンソーシアム協議会に加盟している。例として静岡県の（公）ふじのくに地域・大学コンソーシアムは地域貢献を事業の1つに掲げ，「ゼミ学生等地域貢献推進事業」として自治体などが抱える地域課題解決のための実践的研究を行うゼミおよび学生団体に対して助成を行っている。具体例として，筆者のゼミが静岡県三島市と実施した地域課題解決の研究をあげる。


・**研究課題**

　「デザイン× ICT ×共創」による地域課題解決プロジェクト

・**研究目的**

　「人口流出によって三島市を主体的に創り出す人がいなくなっている」「コミュニティ同士の繋がりがない」といった課題に対して，市民が「自分たち事を自ら創造する人」に変容するために，コミュニティの活性化を実践している市民を調査し，本人の行動や周囲との関係の間に潜むしくみを解明する。

・**担当学生**

　造形学部3年生6名

・**研究手法**

　実践者たち8名への半構造化インタビューを経て，人生体験を時系列にまとめるジャーニーマップ。実践者を事業者と捉えたビジネスモデル。市民の理想や障害を可視化するバリュープロポジションキャンバスの3種類の分析法を使い，メカニズムを見つける。

・**研究成果**

　8名の変化に関わる要素を図表5－6「実践者（市民活動家）に変容したしくみの図解」に視覚化し，それらの順番や関係性から，行動変容を生み出すしくみとして「やりたいことを自分の言葉で話す」「目標を数値化する」「振り返り会を催す」「人に勧

図表5−6 実践者（市民活動家）に変容したしくみの図解

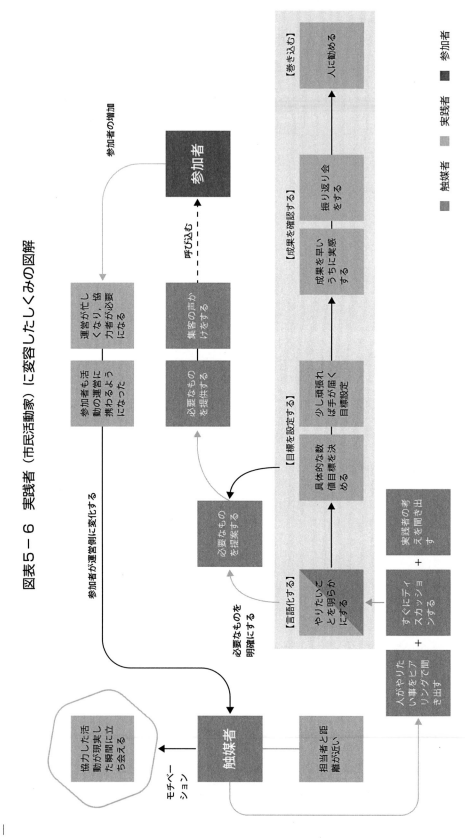

める」というプロセスが重要であるとともに，実践者を支援し，行政とつなげる「触媒役」の市民が欠かせないことを明らかにした。

　上記は一例にすぎないが，地域の活性化に対して大学や学生が専門的な知見を基にした研究や実践ができる対象は広く，地域社会からも必要とされていることがわかるだろう。また大学生のキャリア形成の観点からも得ることが大きく，プロジェクト管理の能力や社会人基礎力の醸成のみならず，多くの人との出会いから生き方，働き方を学ぶ機会になると言えるだろう。

## 【注】

1）厚生労働省政策統括官付参事官付人口動態・保険社会統計室「人口動態統計」（https://www.mhlw.go.jp/stf/wp/hakusyo/kousei/19/backdata/01-01-01-07.html 2022年2月23日アクセス）
2）総務省統計局「国勢調査」および「人口推計」（https://www.stat.go.jp/data/jinsui/topics/topi1251.html　2022年2月23日アクセス）
3）総務省統計局住民基本台帳人口移動報告（https://www.e-stat.go.jp/dbview?sid=0003404102 2022年2月23日アクセス）
4）関係法令・閣議決定等ーまち・ひと・しごと創生本部　第2期「まち・ひと・しごと創生総合戦略」（2020改訂版）（https://www.chisou.go.jp/sousei/info/pdf/r02-12-21-senryaku2020.pdf　2022年2月25日アクセス）
5）内閣官房まち・ひと・しごと創生本部事務局「若年層における東京圏・地方圏移動に関する意識調査」（2019年4～5月調査）（https://www.chisou.go.jp/sousei/pdf/jakunennsou_ishikityosa_hontai.pdf 2022年2月26日アクセス）
6）総務省「令和3年度地域おこし協力隊の隊員数等について」（https://www.soumu.go.jp/main_content/000799461.pdf）
7）総務省「令和3年度地域おこし協力隊の定住状況等に係る調査結果」（https://www.soumu.go.jp/main_content/000799461.pdf）

## 引用・参考文献

田口太郎（2018）『「地域おこし協力隊」の成果と課題，今後の方向性』森林環境
朝岡幸彦・澤田真一（2016）「大学と連携する自治体の地域戦略」『住民と自治』2017年1月号

# 第6章 企業・業界・職業

## 1 企業とは

　企業とは，会社を意味する。会社の種類としては，主なものとして合名会社，合資会社，合同会社，株式会社などが挙げられる。また国税庁の平成28年度分会社標本調査結果によれば，各会社形態の数は下記のとおりとなっている。

図表6-1　組織別法人数

| 組織別 | 法人数（社） | 構成比（％） |
|---|---|---|
| 株式会社<br>（旧有限会社含む） | 2,520,823 | 94.3 |
| 合名会社 | 3,794 | 0.2 |
| 合資会社 | 17,042 | 0.6 |
| 合同会社 | 66,045 | 2.5 |
| その他 | 64,329 | 2.4 |
| 合計 | 2,672,033 | 100.0 |

出所：国税庁「平成28年度分会社標本調査」を一部修正

　図表6-1「組織別法人数」からわかるように，会社[1]と呼ばれるもののうち，株式会社（旧有限会社含む）が圧倒的に多く，全体の約94％を占める。したがって通常，企業とは株式会社のことを前提としている。
　株式会社は，株式を発行して投資家から資金を調達する。そして，その資金をもとに事

業を行う会社のことである。多くの資金が調達できれば，それだけ多くの設備投資などが可能になることから，現代の巨大企業出現の多くが，この制度によるものといっていいであろう。

## 2　企業組織の基本形態

ここでは，企業組織にみられるいくつかの基本的な組織形態について，ふれたいと思う。

### ❶ ライン組織

ライン組織とは，組織の下位のもの，または下部組織が上位の管理者からのみ，一元的な命令，指示を受ける集権的な組織といえる。図表6－2「ライン組織の概要」からみてとれるように，命令系統が明確化していることから，組織を維持しやすいという反面，管理者層の過重な負担が指摘される。

図表6－2　ライン組織の概要

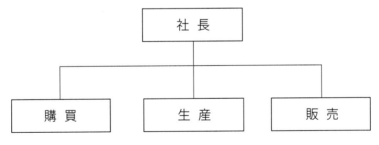

出所：山田（2006：79）を一部修正

### ❷ ライン・アンド・スタッフ組織

図表6－3「ライン・アンド・スタッフ組織の概要」からわかるように，ライン・アン

ド・スタッフ組織とは，ライン組織とそれを側面からサポートするスタッフ部門とを組み合わせて配置した組織といえる。スタッフ部門とは，一般に，企画，経理，人事などの部門が該当し，ラインの担当する業務をサポートすべく，サービス職能や管理職能を備えた専門家によって構成される部門のことをいう。

　これらの組織形態以外に，事業部制組織なども挙げられる。事業部制組織とは，環境の多様性に細かく対応するために，製品別・地域別・顧客別に独立した事業部をつくり，それぞれに自律性を与えて活動させようという趣旨のものである（池内，2011：181）。

　いずれにしても，その時々，その企業がおかれている外部環境，内部環境に適応する形で絶えず組織形態を見直し，必要に応じて変化させている，というのが企業の組織形態の実態といえよう。

図表6－3　ライン・アンド・スタッフ組織の概要

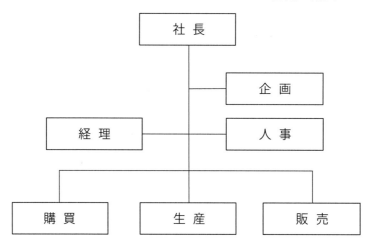

出所：山田（2006：81）を一部修正

# 3　業界について

　業界の種類の目安になるものとして，総務省による図表6－1「産業大分類項目表」が挙げられる。例えば，酪農業に携わっている方であれば，大分類「農業，林業」，中分類「農業」，小分類「畜産農業　酪農業」という形で業界の種類が位置づけられる。また，日経編（2017：

3-5) によれば,「自動車・機械・造船」,「電気・精密・通信」,「環境」,「エンタメ・メディア・コンテンツ」,「素材」,「医薬・食品」,「流通・小売」,「専門店」,「運輸」,「エネルギー・資源」,「建設・不動産関連」,「金融」,「サービス」,「その他」などとなっていて, 関係資料内容がかならずしも一様ではないことに注意を払う必要があるであろう。

図表6－4　産業大分類項目表

| | |
|---|---|
| A | 農業, 林業 |
| B | 漁業 |
| C | 鉱業, 採石業, 砂利採取業 |
| D | 建設業 |
| E | 製造業 |
| F | 電気・ガス・熱供給・水道業 |
| G | 情報通信業 |
| H | 運輸業, 郵便業 |
| I | 卸売業, 小売業 |
| J | 金融業, 保険業 |
| K | 不動産業, 物品賃貸業 |
| L | 学術研究, 専門・技術サービス業 |
| M | 宿泊業, 飲食サービス業 |
| N | 生活関連サービス業, 娯楽業 |
| O | 教育, 学習支援業 |
| P | 医療, 福祉 |
| Q | 複合サービス事業 |
| R | サービス業（他に分類されないもの） |
| S | 公務（他に分類されるものを除く） |
| T | 分類不能の産業 |

出所：総務省「日本標準産業分類（平成25年10月改定）」[2]

# 4　職業について

 職業の種類

職業の種類の目安になるものとして, 総務省による図表6－5「職業大分類項目表」が挙げられる。例えば, 会社の役員を務めている方であれば, 大分類「管理的職業従事者」,

中分類「法人・団体役員」，小分類「会社役員」という形で職業の種類が位置づけられる。また，マイナビ出版編集部編（2017：20-24）によれば，「事務・管理（総務・人事・財務・経理）」，「営業・販売サービス」，「クリエーティブ／企画」，「技術・研究／専門」，「IT系技術職」などとなっている。

　他にも，職業（仕事）の種類として，ものを作る仕事（製造業），ひとやものを運ぶ仕事（運輸サービス），ものやサービスをつなぐ仕事（情報通信技術），ものを売る仕事（デパート，スーパー，コンビニ），人をもてなす仕事（ホテルやレストラン），教え育てる仕事（学校），人の健康・生活を支える仕事（介護の現場），公の仕事（中央官庁や地方公共団体），非営利組織の仕事（社会貢献や社会問題の解決），のように分けている例もみられる（阿部他編，2017：5-10）。これらの例からわかるように，前述の業界同様，関係資料内容がかならずしも一様ではないことに注意を払う必要があるであろう。

図表6－5　職業大分類項目表

| A 管理的職業従事者 |
| B 専門的・技術的職業従事者 |
| C 事務従事者 |
| D 販売従事者 |
| E サービス職業従事者 |
| F 保安職業従事者 |
| G 農林漁業従事者 |
| H 生産工程従事者 |
| I 輸送・機械運転従事者 |
| J 建設・採掘従事者 |
| K 運搬・清掃・包装等従事者 |
| L 分類不能の職業 |

出所：総務省「日本標準職業分類（平成21年12月統計基準設定）」[3]

## ❷ 総合職と一般職

　正社員として働くことを前提として，業界，職業の種類まで決めたとしても，多くの企業では，さらに総合職か一般職かの選択を学生に迫るケースが少なくない。

一般的に「総合職」は，将来の経営幹部候補であり，転勤はもちろんのこと，さまざまな業務経験をつむ必要から，定期的，不定期的な職業の種類，すなわち職種の転換もありうる。

　それに対し「一般職」とは，勤務地や職種がある程度の範囲で固定された採用コースで，企業により多少異なるものの，事務系職種で総合職の補佐的な仕事を行うことが少なくない（宮道，2013：80）。

　このように一般職は転勤がない，あるいは転勤しても地域的に限定されるなどの保障がある反面，総合職と比べて，昇進に上限があったり，福利厚生，給与に差が生じたりするケースもみられる。したがって，総合職か一般職かを選択する際には，その学生の生きていくうえでの価値観や，キャリアデザインの方向性などをよく吟味したうえで選択する必要があるであろう。

## 【注】

1）国税庁「平成 28 年度分会社標本調査」（https://www.nta.go.jp/publication/statistics/kokuzeicho/kaishahyohon2016/kaisya.htm　2018 年 10 月 13 日アクセス）
2）総務省「日本標準産業分類（平成 25 年 10 月改定）」
　（http://www.soumu.go.jp/toukei_toukatsu/index/seido/sangyo/02toukatsu01_03000023.html　2018 年 10 月 19 日アクセス）
3）総務省「日本標準職業分類（平成 21 年 12 月統計基準設定）」
　（http://www.soumu.go.jp/toukei_toukatsu/index/seido/shokgyou/kou_h21.htm 2018 年 9 月 12 日アクセス）

## 引用・参考文献

阿部正浩・菅　万理・勇上和史編（2017）『職業の経済学』中央経済社
日本経済新聞社編（2017）『日経業界地図 2018 年版』
マイナビ出版編集部編（2017）『業界＆職種研究ガイド』
池内秀己（2011）「組織としての企業」三戸　浩・池内秀己・勝部伸夫『企業論』有斐閣
山田敏之（2006）「組織デザイン」松崎和久編『経営組織』学文社
宮道　力（2013）「仕事・社会を知ろう」ヒューマンパフォーマンス研究会，三浦孝仁・坂入信也・宮道　力・中山芳一編『大学生のためのキャリアデザイン』かもがわ出版

# 第7章
# 日本的経営における雇用

## 1　日本的経営について

　日本的経営を特徴づける主なものとして，終身雇用，年功序列，企業別労働組合，新卒者の一括採用，稟議などが挙げられよう。ここではキャリアデザインにおける日本の雇用システムの視点からして，終身雇用，年功序列，新卒者の一括採用に注目したいと思う。

### ❶　終身雇用

　終身雇用とは，企業が定年まで社員の雇用を保証するという雇用慣行のことである。

　戦後，我が国が製造業を中心として経済成長を遂げる中，労働力が継続的に不足し，経営者にとって労働力確保の必要性が増大した。そのため，労働者にとっても継続勤務にインセンティブがはたらくしくみ（長期にわたる安定的な雇用保障，勤続年数による賃金の上昇）をしく企業が一般化し，1950年代には，終身雇用・年功賃金システムが確立したとされる[1]。

　継続勤務にインセンティブが働き，仕事へのモチベーションがあがるなどのメリットがある。その一方で，不況期などに社員を減らしたくとも，簡単には解雇できないなどのデメリットが指摘される。

56　|

## ❷ 年功序列

年功序列とは，勤続年数と年齢を基準として，入社後の昇進，昇給が決まっていくような人事慣行のことである。

若いころ比較的低賃金であったとしても，勤務先企業で継続的に働き続ければ，賃金もあがっていくという安心感を背景として，社員の定着率が高まったといえる。そうした意味において，終身雇用に欠かせない制度の１つといえよう。

## ❸ 新卒者の一括採用

新卒者の一括採用は，前述の終身雇用と，年功序列のベースとなる制度で，新卒者を一括採用することで，年功序列，終身雇用を成立させているといえよう。とりわけ年功序列についてみたとき，一括採用ではなく中途採用の比率が高まると，勤続年数を基準とする年功序列的な賃金体系の維持は困難となる可能性が高く，結果として終身雇用もおぼつかなくなると考えられる。こうした意味において，明治時代にその原型が形づくられた新卒者の一括採用は，終身雇用，年功序列，企業内組合という，いわゆる日本的経営の三種の神器とともに，戦後日本経済の高度成長を支えるエンジンとして機能してきたといえる。

# ２ 変化する雇用システム

日本経済の高度成長期，またその後についても，終身雇用，年功序列など，いわゆる日本型雇用システムはうまく機能したといえるが，1990年代におけるバブル経済崩壊後の長い不況期に入ると，こうした経済環境の変化を背景として，それまでの雇用システムの見直しを迫られることとなった。

具体的に主には，正社員の減少，非正社員の増加などの現象が顕在化している。

## ❶ 非正社員とは

厚生労働省「望ましい働き方ビジョン」[2] によれば,

> 「非正規雇用」と相並ぶ概念として「正規雇用」がある。これも,「社員」「職員」「従業員」「正社員」など,呼称は事業所によってさまざまであるが,このビジョンでは,正規・非正規という雇用形態を巡る課題に焦点を当てるというその性格上,便宜的に,雇用形態に係る法制的な視点から,以下の①,②及び③いずれも満たすものを原則として「正規雇用」とする。① 労働契約の期間の定めはない。② 所定労働時間がフルタイムである。③ 直接雇用である(労働者派遣のような契約上の使用者ではない者の指揮命令に服して就労する雇用関係(間接雇用)ではない)。(中略) 本ビジョンでは,上記①〜③のすべてを満たす者以外の様々な雇用形態を便宜上「非正規雇用」とする。

上記のような解釈,定義からもわかるように,非正社員とは一般的に,パートタイマー,アルバイト,契約社員,嘱託社員,派遣社員などが該当するもので,有期労働契約の更新を繰り返すなど,比較的不安定な働き方とみなされる。

## ❷ 非正社員の増加

図表7-1「雇用形態別雇用者数推移」からわかるように,1984年から2017年までほぼ一貫して非正社員が増加し続けている。役員を除く総雇用者数での割合をみていくと,1984年に15.3%であった非正社員の割合が,2017年には37.3%にまで増加している。企業の組織が,実に4割近くの非正社員で成り立っていることになる。

ここまで非正社員が増加したいくつかの理由の中で主なものとして,2つ挙げられる。1つにはいわゆる,失われた20年といわれる,バブル経済崩壊後,20年以上にわたっ

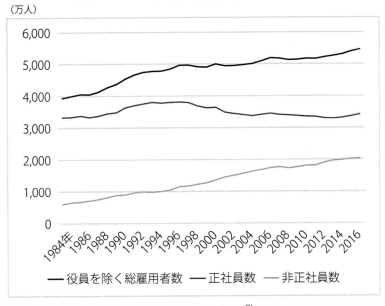

図表7－1　雇用形態別雇用者数推移

出所：総務省統計局「労働力調査」より作成[3]

て経済の停滞が続いたことから，企業として人件費を抑制せざるをえなくなったこと。

具体的には，1990年代に入って日本の企業は，成果中心の処遇方式，年俸賃金制，早期退職勧奨，中途転職支援，中途採用とパート社員の活用等の諸制度を導入することで，終身雇用を転換していて，企業は社員に向けて「自律と自立」というメッセージを発している（梅澤，2007：103）。

もう1つには，働き方の多様化のもと，労働分野の規制緩和が，非正社員の増加に拍車をかけたことによる。そして，こうした非正社員の増加はさまざまな課題を現代社会になげかけている。

(1) 企業側の意識

企業組織における非正社員の割合が増加し続ける中で，こうした現象を企業側はどのように捉えているのか。いくつかの調査結果をもとに，その実情，傾向といったものを考察してみたいと思う。

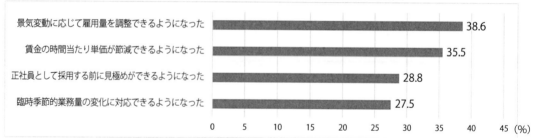

出所：独立行政法人 労働政策研究・研修機構編『今後の企業経営と雇用のあり方に関する調査』
　　（2012：12）を一部修正

　企業を対象とした調査で，その結果の1つである，図表7－2「非正社員が役だっていると思う理由」は，複数回答の結果のうち，上位4項目を抜粋したものである。これらの結果からは，企業側からみたとき，非正社員の活用上の主なメリットとして，柔軟な人事体制が可能となると同時に，人件費が軽減される効果がある，と認識しているといえよう。また，厚生労働省による調査[4)]の結果においても，非正社員を活用する1番の理由として，「賃金の節約のため」が挙げられ，次いで「1日，週の中の仕事の繁閑に対応するため」となっており，前述の認識を支持する形となっている。

　一方で，上記と同じ企業を対象とした調査で，その結果の1つである，図表7－3「非正社員を活用する上での課題」も，複数回答の結果のうち，上位4項目を抜粋したものである。これらの結果からは，上記同様，企業側からみたとき，非正社員の活用上の主なデメリットとして，職域や職務が限定されていることから，責任性を求められない。また，モチベーションが比較的低く，定着率も良くない，といったことが指摘されている。

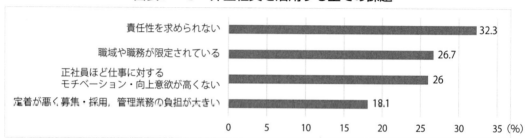

出所：独立行政法人 労働政策研究・研修機構編『今後の企業経営と雇用のあり方に関する調査』
　　（2012：12）を一部修正

（2）非正社員側の意識

　では，企業側の意識に対して非正社員側の意識はどのように捉えられるのか，引き続き考察してみたいと思う。

　図表7－4「正社員以外の労働者（出向社員を除く）の現在の就業形態を選んだ理由別労働者割合」は，複数回答の結果のうち，上位7項目を抜粋したものである。これらの結果からは，非正社員が現在の就業形態を選んだ主な理由がうかがえる。上位6項目については，ライフスタイルや，実利などを反映したものとして，捉えられよう。しかし，7項目めにある「正社員として働ける会社がなかったから」については，非正社員のうち2割近い社員が不本意な働き方を強いられているという意味において，問題があるといわざるをえないであろう。

**図表7－4　正社員以外の労働者（出向社員を除く）の現在の就業形態を選んだ理由別労働者割合**

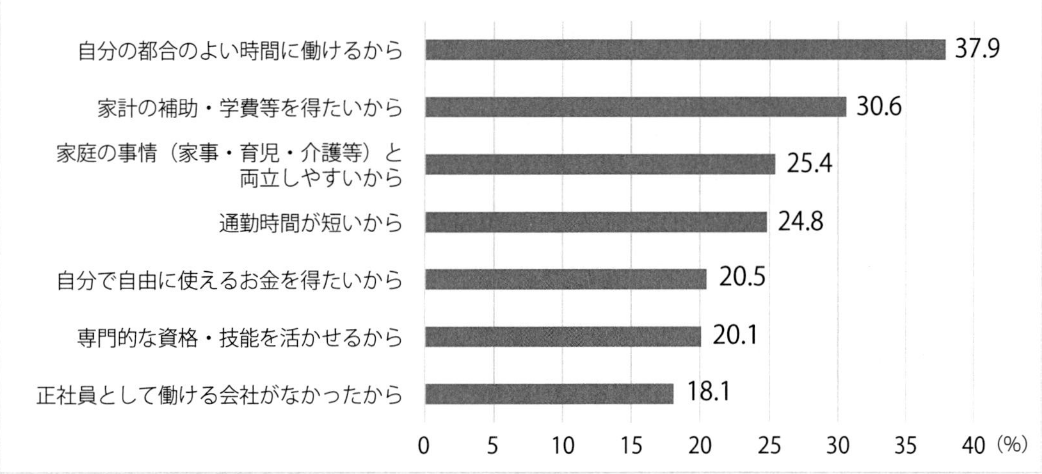

出所：厚生労働省「平成26年就業形態の多様化に関する総合実態調査の概況」[4]を一部修正

# 3　格差の問題

　正社員として働ける会社がなかったから，やむをえず非正社員になった社員の問題を論じるとき，「格差」というキーワードがたびたびとりあげられる。この点について検討してみたい。

第7章　日本的経営における雇用　｜　61

厚生労働省による調査[4]において，「現在の職場での満足度」というものがあり，この資料は，仕事の内容・やりがいや賃金など11の項目と職業生活全体について，「満足」または「やや満足」とする労働者割合から「不満」または「やや不満」とする労働者割合を差し引いた満足度D.I.（ポイント）を示している。この調査結果から，非正社員が特に満足度が低いという項目として次の4つ挙げられる。①雇用の安定性（24.7ポイント），②福利厚生（8.9ポイント），③教育訓練・能力開発のあり方（7.1ポイント），④賃金（5.6ポイント）となっている。

項目別に満足度が低い背景をみていくと，①雇用の安定性については，例えば不況となって人員的余剰感がでてくると，「派遣切り」などといわれる言葉に象徴されるように，非正社員から雇用調整されることからと考えられる。②福利厚生については，正社員であれば通常，会社が半分負担する健康保険や厚生年金などの社会保険の対象であるが，非正社員では除外されるケースがあることなどが指摘されよう。③教育訓練・能力開発のあり方については，社内研修や教育訓練が正社員を中心的な対象として，実施されることが多いなどが指摘される。次の④賃金については，とりわけ満足感が低く問題があるとされる。

図表7－5「雇用形態，年齢階級別の賃金」からわかるように，正社員は一般的な定年である60歳まで，賃金が上昇カーブを描くのに対して，非正社員のそれはほとんど変化がなく，収入格差が年齢とともにひろがり続けている。こうした結果を裏づけるように，国税庁「平成28年分民間給与実態統計調査結果について」[5]によれば，非正規と正規を比べた場合，平成28年分の1人あたりの平均給与が，正規487万円なのに対し，非正規は172万円となっていて，その差は315万円となっている。

さらに，これらのことから正社員と非正社員との生涯収入格差は，実質的に3億円以上ともいわれ，ワーキング・プア，すなわち「働いているのに貧乏な人」の発生原因とされる（木村，2013：151）。

こうしたことから，非正社員が増加し続けることは，いわゆる格差社会に拍車をかけるという意味において，大きな社会問題であるといわざるをえないであろう。

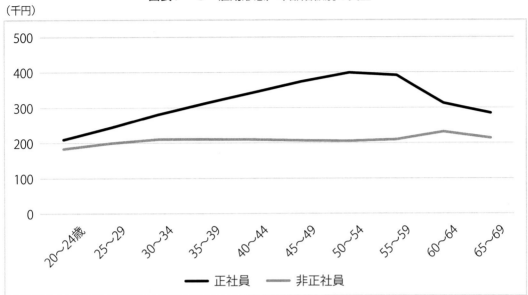

図表7-5　雇用形態，年齢階級別の賃金

出所：厚生労働省編『平成29年賃金構造基本統計調査の概況』（2018：12）より筆者作成

【注】
1) 経済産業省　経済産業政策局（http://www.meti.go.jp/committee/materials/downloadfiles/g61218c06j.pdf　2018年8月28日アクセス）
2) 厚生労働省「望ましい働き方ビジョン」
（https://www.mhlw.go.jp/stf/houdou/2r98520000025zr0.html「報道発表資料」2018年9月3日アクセス）
3) 総務省統計局　労働力調査
（http://www.stat.go.jp/data/roudou/longtime/03roudou.html　2018年9月1日アクセス）
4) 厚生労働省「平成26年就業形態の多様化に関する総合実態調査の概況」
（https://www.mhlw.go.jp/toukei/itiran/roudou/koyou/keitai/14/　2018年9月3日アクセス）
5) 国税庁「平成28年分民間給与実態統計調査結果について」（https://www.nta.go.jp/information/release/kokuzeicho/2017/minkan/index.htm　2018年9月10日アクセス）

引用・参考文献

梅澤　正（2007）『大学におけるキャリア教育のこれから』学文社
木村　進（2013）『自分で切り開くキャリアデザイン』中央経済社
厚生労働省編（2018）『平成29年賃金構造基本統計調査の概況』
独立行政法人 労働政策研究・研修機構編（2012）『今後の企業経営と雇用のあり方に関する調査』結果 ─ 企業の人材活用は今後，どう変わるのか ─

第7章　日本的経営における雇用 | 63

# 第8章 求められる人材像

## 1 企業が重視する能力

　図表8-1『「選考時に重視する要素」上位3項目の「年入社対象別」推移』からもわかるように、経団連[1]によれば、採用選考にあたって特に重視した点（20項目から上位5つ、コミュニケーション能力、主体性、チャレンジ精神、協調性、誠実性、を選択）で最も多かった

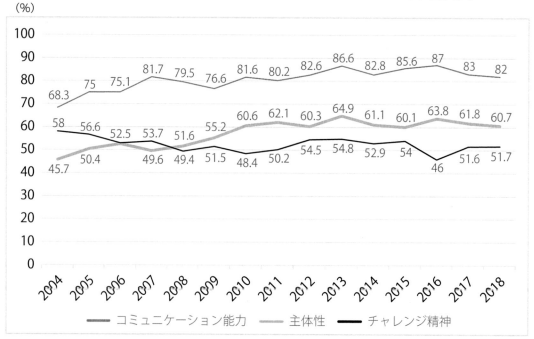

図表8-1　「選考時に重視する要素」上位3項目の「年入社対象別」推移

出所：日本経済団体連合会「新卒採用に関するアンケート調査」から筆者作成

のは「コミュニケーション能力」で，15 年連続で第 1 位となった。第 2 位は 9 年連続で「主体性」となっている（2009 年の 2 位は協調性）。第 3 位は「チャレンジ精神」で，2016 年入社対象では第 4 位に順位を下げたものの（第 3 位は協調性），2017 年入社対象以降，再び第 3 位となっている。

　ちなみに，経団連（日本経済団体連合会）とは，日本の代表的な企業 1,376 社，製造業やサービス業等の主要な業種別全国団体 109 団体，地方別経済団体 47 団体などから構成されている（2018 年 5 月 31 日現在）。その使命は，総合経済団体として，企業と企業を支える個人や地域の活力を引き出し，日本経済の自律的な発展と国民生活の向上に寄与することとされている[2]。

　コミュニケーション能力というと，学生側のイメージとしては，場をうまく仕切れるとか，だれとでも調子をあわせられるといったことではないだろうか。この点についての企業側とのイメージギャップには注意が必要である。

　企業が求める「コミュニケーション能力」とは，相手の話を聞き，正確に理解する能力（感性）と自分の話が理解されるよう話す能力（論理思考性）である（伊藤，2015：86）。

　また別の調査で，企業の採用担当者の多くが「人柄」が大切というが，社会人としての常識・マナーと自分の考えを持ち，それを的確に伝えるコミュニケーション能力が感じられたとき，採用したい「人柄」がそなわっていると評価される（岩井，2016：105）。つまりはコミュニケーション能力を第一の前提とする「人柄」と理解される。

　グローバル化とともに，企業においては多様な業務が増加している。そうした環境下にある企業においては，これらの業務を確実に遂行する必要性からも，企業組織でのコミュニケーション，さらには取引先企業組織とのコミュニケーションをも円滑に運営していくことが絶対条件となる。組織や組織間におけるコミュニケーションに支障が生じれば，企業としての意思決定や，企業間での取引などにも影響してくることから，基本となる個々のコミュニケーション能力が最重視されるのは必然の結果ともいえよう。

## 2 企業が求める人材

企業が学生を採用する際の合否を分けるものの1つとして，「学生とその企業との相性」などと曖昧な表現をされるものがある。曖昧な表現ではあるものの，学生側からすれば企業を選択する際，非常に重要なポイントといっていいだろう。そしてこの点については，経営学における経営組織論の視点から説明される。

一般的に，「学生とその企業との相性は」という場合，その企業において共有された価値観に基づく社風や体質などに，その学生がうまく馴染めるか，ということを意味しているといえる。

よく新聞記事などで，「企業の体質が招いた不祥事」，「企業文化の違いから経営統合が破談」，「組織特性になじめない新入社員」など，いわゆる企業の社風や体質などに関わる用語として，企業体質，組織文化，組織特性，企業文化，企業風土などさまざまな用語が見受けられる。経営学的にみた場合，これらのどの用語においても，厳密な区別はみられないことから，ここでの説明部分については，企業文化という用語を採用する。

企業文化とは一般的に「組織の成員に共有された一連の価値の体系であり，成員に意味づけを与えたり，その組織での適切な行動のルールを提供するもの」と定義される（城戸，2008：143）。

つまりは，面接を担当する人事担当者においても，意識的，無意識的にその所属企業で共有された価値観に沿って，学生の人柄，人物評価などを行うことを意味する。したがって，企業文化が企業ごとに異なることから，面接の際，学生がまったく同じアピールを各社にしたとしても，肯定的に受け止める企業もあれば，否定的に受け止める企業もあるであろう。そうしたことから，学生側からすれば，同じアピール内容であったのに，好感触であった企業もあれば，まったく対照的な反応を示した企業もあった，などという現象がおこりうると考えられよう。

# 3 企業文化の異なりに関する事例

「キリンとサントリーが統合」。2009年7月13日付の日本経済新聞がスクープした記事であるが，当初から両社の企業文化の異なりが大きく，統合を危ぶむ声は少なくなかったが，結果として破談となった事例である。

例えば，朝日新聞[3]による記事「キリンとサントリー統合交渉，企業風土の高い壁」の中で，

> 『・・・・・・・・キリンは交渉が表面化した翌日の14日になって，ようやく「交渉の初期段階にはある」と公式に認めた。ある幹部は「企業文化が違いすぎる。統合がまとまるまでには高い壁がある」と難航を予想し，慎重姿勢を貫いたままだ。・・・・・・・』

などと，当事者のコメントからも，企業文化の異なりが指摘されている。

具体的には，キリンビールは三菱グループの主力企業の1つであり，組織の三菱といわれるように組織的行動（チームワーク）を特徴とする企業文化と評される。一方のサントリーは，対照的に創業者・鳥井信治郎氏の「やってみなはれ」に代表される積極的で自由な企業文化と評される。このように企業文化が大きく異なることから，キリンの求める人材像[4]は，「高い志を持ち，どんな環境でも前向きに取り組み，お客様に新しい価値を提供するためにリーダーシップを発揮できる人材」となっている。

これに対し，サントリーの採用コンセプト[5]は，「"やってみなはれ"は，サントリーそのものである　新しいモノは，いつも，志高い挑戦から生まれる。何かを生み出すこと，道を拓くことは簡単なことではない。それでも前を向く。失敗を恐れず。強い信念をもってやりきる。世界中のお客様におどろき，感動，楽しさを届けるために。そのひたむきな姿が人を動かし，チームを動かす。日本で。世界で。いままでも。これからも。挑戦を楽

第8章 求められる人材像 | 67

しもう。挑戦を人生に。夢大きく。やってみなはれ。」となっている。

キリンが「リーダーシップを発揮できる人材」としていて，どちらかというと「組織」というものに軸足をおく傾向がみられるのに対し，サントリーのそれは「個人」に軸足をおく傾向がみられよう。

このように企業文化の異なりは，その企業が採用したいとする，人材像にまで影響を及ぼすことから，学生側からすれば各企業の企業文化には，よくよく注意を払う必要があるといえよう。

# 4　経営理念

前述したように学生にとって，就職希望先である各企業の企業文化には注意を払うべきである。では，どのようにして各企業の企業文化を把握するのか。有力な手段の1つとして，各企業の経営理念に注目することが挙げられる。

経営理念が提供するものは，組織の理念的目的（この企業はなんのために存在するか）だけではなく，経営のやり方と人々の行動についての基本的考え方あるいは規範，つまりは組織の価値観であり，人々がその組織で暮らし，仕事をしていくうえで持つ価値観である（伊丹・加護野，1999：333）。

したがって通常は，経営者により経営理念が示され，その方向性に沿う形で企業文化が確立されると考えられる。ただし企業によっては，年を経るにつれ，さまざまな理由から，当初の経営理念が形骸化して，企業文化と経営理念に不一致が生じている企業もみられる。

そうしたことにも注意を要するが，経営理念を守り抜いている企業に，優良，有力企業が多くみられることからも，各企業の企業文化を推察，把握するうえでの有力な手段の1つといっていいであろう。

例えば，日本が世界に誇るトヨタ自動車の事例をみてみよう。トヨタ自動車といえば，その生産システムは独特で，世界から注目されてきた。トヨタ生産方式[6]については，次のように紹介されている。

『トヨタ自動車のクルマを造る生産方式は，「リーン生産方式」，「JIT（ジャスト・イン・タイム）方式」ともいわれ，今や，世界中で知られ，研究されている「つくり方」です。「お客様にご注文いただいたクルマを，より早くお届けするために，最も短い時間で効率的に造る」ことを目的とし，長い年月の改善を積み重ねて確立された生産管理システムです。

トヨタ生産方式は，「異常が発生したら機械がただちに停止して，不良品を造らない」という考え方（トヨタではニンベンの付いた「自働化」といいます）と，各工程が必要なものだけを，流れるように停滞なく生産する考え方（「ジャスト・イン・タイム」）の2つの考え方を柱として確立されました。「自働化」と「ジャスト・イン・タイム」の基本思想によりトヨタ生産方式は，1台ずつお客様の要望に合ったクルマを，「確かな品質」で手際よく「タイムリー」に造ることができるのです。』

つまり『ムダの徹底的排除の思想と，造り方の合理性を追い求め，生産全般をその思想で貫き，システム化した生産方式』とされる。

こうした生産方式にくわえて，その企業の雇用条件，労働環境など，従業員の働きやすさを示す重要な指標の1つに離職率がある。「大卒新入社員の3割が入社3年以内で辞めてしまう」，「高卒新入社員の4割前後が入社3年以内で辞めてしまう」といわれて久しいが，トヨタ自動車のそれはどうなのであろうか。

東洋経済2018『CSR企業総覧』[7]によれば，トヨタ自動車への2014年新卒入社者は男性，女性合わせて529人，そしてその3年後，2017年の在籍者は529人から509人となり，20人減となってはいるものの，定着率（100 −離職率）は96.22%という高い数値を示している。つまりは従業員の満足度の高さがうかがえよう。

ここまでのことをふまえたうえで，トヨタ自動車の経営理念の1つとして位置づけられる，「トヨタウェイ2001」[8]をみると，

『トヨタウェイの2つの柱は，「知恵と改善」と「人間性尊重」である。「知恵と改善」は，常に現状に満足することなく，より高い付加価値を求めて知恵を絞り続けること。そして「人間性尊重」は，あらゆるステークホルダーを尊重し，従業員の成長を会社の成果に結びつけることを意味している。』

　以上のことから結論的には，経営理念を守り抜き，生産方式において，また従業員への対応においても実践し続けてきたからこそ，今のトヨタ自動車があるという意味において，企業文化をうかがうことができる経営理念であるといっていいであろう。

## 【注】

1) 日本経済団体連合会「2017年度新卒採用に関するアンケート調査」（http://www.keidanren.or.jp/journal/times/2017/1214_08.html　2018年10月21日アクセス）
2) 一般社団法人 日本経済団体連合会ホームページ
（http://www.keidanren.or.jp/profile/pro001.html　2018年10月28日アクセス）
3) 朝日新聞デジタル
（http://www.asahi.com/business/topics/economy/TKY200907140471.html　2018年11月10日アクセス）
4) キリンホームページ（https://www.kirin.co.jp/company/recruit/freshers/recruitment/personality/　2018年11月10日アクセス）
5) サントリーホームページ
（https://www.suntory.co.jp/recruit/fresh/concept/　2018年11月10日アクセス）
6) トヨタ自動車ホームページ
（https://www.toyota.co.jp/jpn/company/vision/production_system/　2018年12月26日アクセス）
7) 東洋経済ONLINE「新卒の「3年内離職率」が低い300社ランキング」
（https://toyokeizai.net/articles/-/215685?page=6　2018年12月26日アクセス）
8) トヨタ自動車75年史
（https://www.toyota.co.jp/jpn/company/history/75years/data/conditions/philosophy/toyotaway2001.html　2018年12月26日アクセス）

## 引用・参考文献

伊丹敬之・加護野忠男（1999）『ゼミナール経営学入門』日本経済新聞社

伊藤健市（2015）「会社はどんな人材を求めているのか」渡辺　峻・伊藤健市編『学生のためのキャリアデザイン入門』中央経済社

岩井　洋（2016）「いま，求められている人材とは？」岩井　洋・奥村玲香・元根朋美『プレステップキャリアデザイン』弘文堂

城戸康彰（2008）「組織文化」松原敏浩・渡辺直登・城戸康彰編『経営組織心理学』ナカニシヤ出版

# 第9章

# 雇用に関する法律知識

## 1　はじめに

　これから会社などに就職して働く，または，起業するなどして他の人を雇って働くことになる場合，残念なことではあるが，働くということに関して，さまざまなトラブルが発生することもある。

　入社前の段階でも，例えば，内定を得て安心していたところ，突然その内定が取り消されたことなどのトラブルが生じることがある。また，多くの労力と苦労を重ねて自分の将来の方向性を真摯に考えて活動した結果として得た内定が取り消されるようなことになれば，精神的な動揺もはなはだしいものになり得る。

　さらに，そのような事態に見舞われることもなく，無事に入社できたとして，仕事が大変忙しく残業を強いられるようになってきたにもかかわらず，残業時間を少なく申告させられた上，その申告に基づく時間外手当しか支給されないことについてのやるせなさを感じることもあり得よう。

　働いていく中では，労働者が雇用主よりも弱い立場にある。このため，労働法は，さまざまな規制を設けて労働者を保護している。

　本章では，労働法の体系を概観し，主として企業に就職した場合に関連する労働者の保護がいかになされているかを確認する。次いで，働き始める前と後に分けて，関係する法律問題を取り上げることとする。

# 2　労働法の基本的なしくみ

## ❶　労働法の特殊性

　労働法は，賃金を受け取る労働者と，労働の提供を受ける代わりに賃金を支払う使用者との間で締結される労働契約に関する法律である。労働契約も契約の一種であることから，国民生活に関連し，契約などの定めがある民法が重要であるように思われるかもしれない。しかし，労働契約は，通常の契約とは以下のような点で異なる。

　第1に，労働者は，賃金を受ける立場にあることから，その賃金を支払う立場の使用者との関係が必ずしも対等ではないことである。使用者は，労働者を指揮命令下に置くことになるため，人権侵害が起こりやすいともいえる。

　第2に，一般的に労働契約は，期間を定めない形で行われるため，契約の内容を詳細に定めることができないということである。労働契約を締結するのは就職する時が一般的であるが，この段階で，その会社で将来的に従事する業務内容までも合意することは困難である。したがって，契約内容の多くは詳細に定められない。このことを，契約の白地性という。

　これらの特殊性を踏まえ，特別に定められている実定法（個別に定められた労働基準法や労働契約法などの法令）の集合体を労働法として位置づけている。

## ❷　実定法としての労働法の体系

　労働法は，日本国憲法の基本理念に基づいて定められており，大きくは，①労働保護法と②労働団体法に分類される。

　①労働保護法はさらに，労働条件の基準に関する法，雇用の確保・安定のための法，労働・社会保険に関する法，労働者の福祉の増進に関する法に分類される。それぞれに該当する主な実定法は以下の表のとおりである。

| 労働条件の基準に関する法 | |
|---|---|
| 労働基準法 | 労働契約法 |
| 最低賃金法 | 労働安全衛生法 |
| パートタイム労働法 | 男女雇用機会均等法 |
| 労働時間等設定改善法 | |
| **雇用の確保・安定のための法** | |
| 雇用対策法 | 労働者派遣法 |
| 職業安定法 | 職業能力開発促進法 |
| 障害者の雇用の促進等に関する法 | 高齢者雇用安定法 |
| **労働・社会保険に関する法** | |
| 労働者災害補償保険法 | 雇用保険法 |
| 健康保険法 | 厚生年金保険法 |
| **労働者の福祉の増進に関する法** | |
| 中小企業退職金共済法 | 勤労青少年福祉法 |
| 勤労者財産形成促進法 | 育児・介護休業法 |
| 公益通報者保護法 | 労働審判法 |
| 個別労働関係紛争の解決の促進に関する法律 | |

これに対し，②労働団体法は，主なものとして，労働組合法，労働関係調整法の２法が挙げられる。

# 3 働き始める前に関連する規制

## ① 労働契約の締結

　就職活動を始める際には，具体的な仕事内容や勤務日，給与などの条件を確認して，それらが自分の希望に合った会社等に対して，就職希望の応募をすることになる。ところが採用が決まり，実際に働き始めてみると，条件が違っていたなどの問題が生じる可能性がある。そこで，労働法では，労働契約法の内容として契約者の合意により労働条件を決定することが原則とされている。このように労働者と使用者の間の関係は両者の契約に基づくものと考えられている。そしてこの契約（労働契約と呼ばれる）は，労働者が使用者のもとで労働に従事することが約束され，これに対し，使用者は給料として報酬を支払うこと

が約束されるものである。

　労働契約法 1 条は「労働者及び使用者の自主的な交渉の下で，労働契約が合意により成立し，又は変更されるという合意の原則・・・を定めることにより，・・・労働者の保護を図りつつ，個別の労働関係の安定に資することを目的とする」と定めていることからも，このことは明らかである。

　さらに，労働契約法は，労働契約の締結，変更について，以下の原則に従って行うことが必要であるとする。すなわち，①労使の対等の立場によること，②就業の実態に応じて均衡を考慮すること，③仕事と生活の調和に配慮すること，④信義に従い誠実に行動しなければならず，権利を濫用してはならないことである[1]。

　労働契約の締結の関連では，いわゆる内定の扱いが問題となる。筆記試験や（個別・グループなど）面接等の採用選考の結果，すべてにおいて合格であるとされた者に対して，内定通知が届けられることになる。この内定通知には，卒業時期に入社することになること等が記載されている。さらには，留年や刑事事件の被告人になった場合などの特定の事情が生じた場合には，内定が取り消されることなども記載されている。

　ここで法的に問題となりうるのが，内定取り消しおよび内定の辞退に係る点である。そこで，これらについて個別に考えてみよう。

（1）内定取り消し

　内定を得た者は，他の会社等への就職活動を終了させることになるため，突然，内定が取り消されると，それ以降，新たに就職活動を再開することが事実上，非常に困難な状況になる。

　内定時に労働契約が成立する場合には，使用者による内定取り消しは，法的には，成立した労働契約の解約を意味することになる。（労働）契約の解約である以上は，一般的には社会通念に照らして相当であると認められる場合以外は，内定を取り消すことはできない。

　他方，客観的に合理的で，社会通念に照らして相当と認められる場合には，仮に労働契

約上，解約事由として明確に提示されていない事情によったとしても，内定の解約は許容される。これは使用者が留保解約権を有するためであると解されている[2]。

これらのことから判断して，違法な内定取り消し（労働契約の解約）であると考えられる場合には，従業員として地位の確認請求が認められる。

この場合，状況によっては，一度，内定を得た者の期待権を侵害するものであると捉え，この不法行為に基づく損害賠償請求の対象にもなりうる。

（2）内定辞退

いったん内定を得た後で，これを辞退することもありえよう。この場合に法的にはどのように捉えられるだろうか。

この点，労働法は特に規定を置いていない。さらに，いわゆる正社員などの労働者の辞職についても，労働法はそれを制限する規定を置いていない。労働法に規定がないため，民法の規定が関連することになる。民法は 627 条において，労働者による解約の自由を認めていることから，内定の辞退についてもこれと同視し，解約の自由が認められると考えられる。ただし，2 週間の予告期間を定めておくことが前提となっている。

このように考えられるとしても，内定の辞退が，使用者等に損害を与える目的で行われるなど信義則に反する場合は，損害賠償の対象となりうることに留意すべきである。

## ❷ 就業規則

先にみたように労働条件の決定は，労働者と使用者が交渉して双方が合意することによって決定されることが原則となる。しかし，実際にこれを行うことは困難であることも多い。そこで，実際には，使用者が就業規則を提示し，労働者がこの内容を承諾する形をとることが多くなっている。

就業規則とは，使用者が労働者を雇い入れ，効率的に事業を行っていくために，職場での規律や労働条件について定めておくために作成される規則類である。この就業規則に

よって，就職しようとする者が職場の規律を知ることができ，公平な労働条件が適用されることになる。

## ③ 就業規則に関する法的規制

労働基準法は89条1項において，常時10人以上の労働者を雇用する場合には，使用者は，就業規則を作成し官庁に届け出る義務が課されており，この作成および届出義務に反した場合には30万円以下の罰金が科されることとしている。

その上で，同法89条各号では，就業規則に必ず記載しなければならない「絶対的必要記載事項」，絶対に記載しなければならないわけではないが，制度として行う場合には就業規則に記載しなければならない「相対的必要記載事項」が定められている。

絶対的必要記載事項は，同法同条1号～3号に定められている。具体的には，始業・終業の時刻，休憩時間，休日，休暇，交代制労働の場合における就業時転換に関する事項，賃金決定，計算，支払いの方法，賃金の締切りと支払いの時期，昇給に関する事項の他，退職に関する事項とされている。

相対的必要記載事項は，同法同条3号の2以下に定められている。具体的には，退職手当適用範囲，決定，計算，支払の方法と時期に関する事項，臨時および最低賃金額に関する事項，食費・作業用品その他の負担に関する事項，安全衛生に関する事項，職業訓練に関する事項，災害補償，業務外の疾病扶助に関する事項，表彰・制裁の種類及び程度に関する事項とされている。

このように作成される就業規則については，意見聴取義務と周知義務が課されている。労働基準法90条1項は，意見聴取義務について，使用者が就業規則を作成，変更するに際し，その事業場に労働組合がある場合にはその，労働組合がない場合には，労働者の過半数を代表する者の意見を聴取しなければならないものとしている。さらに，同法106条1項は，周知義務として，就業規則を作業場の見やすい場所に掲示または備え付けるなどの方法によって，労働者に周知させることを義務としている。

# 4　働き始めてから関連する規制

## ❶　試用期間

　使用者は，入社してきた労働者が，会社組織の中で期待される能力を発揮できるかどう
かを見極めてから本採用したいと考える場合が多い。そこで使用者は新たに入社してきた
労働者について，試用期間を設けることで，労働者の様子をみきわめ，問題がないかを確
認する機会を作ろうとする。

　この試用期間は，使用者が内定を出す場合においても，入社後の現場での働きを確認し
た上で，資質や実力に問題を発見した場合には，解約する権利を留保しておくことで，採
用プロセスで見抜けなかった問題点をチェックするしくみとして用いられる。

　この解約する権利は，観察する期間であるのみならず，適格性の身元調査の期間でもあ
ると位置づけられ，試用期間中の補充的身元調査の結果，不適格性が判明した場合には，
解約できる[3]。試用期間中に判明した不適格性については，採用プロセスにおいて到底知
り得なかったものを内容とするなど限定的に解されており，試用期間中における大きな問
題などがない限り，解約されることはないものと考えられる。

## ❷　人　事

　試用期間を経て無事に本採用となると，入社後の最初の部署に配属されることになる。
使用者からすれば，労働契約を締結した多くの労働者が有意義に機能するように組織的な
編成を行う。このとき使用者は裁量によって，労働組織を編成し，労働者を適切な部署に
配置するように考えることになる。このように使用者は，労働者に対し，配置等に関する
命令権を有するが，これは人事権と呼ばれている。

　人事権は，具体的には以下のものが挙げられる。すなわち，採用，配置転換，出向，転

第9章　雇用に関する法律知識 | 77

籍，昇進，降格，休職などである。このうちここでは，配置転換について確認する。

　配置転換は一般的に配転，配置換えとも呼ばれるが，労働者の配置を変えることで，勤務場所や職務の内容の変更が生じることをいう[4]。労働者がさまざまな部署を経験することで，多様な視野を持った人材を育成することができることから，定期的な配転が行われている。

　配転の法的根拠は，労働契約にあるものと考えられる。期間に定めのない労働契約を締結した労働者に対しては，長期雇用システムの中で，仕事に従事することになる。この時，労働契約において，人事権の内容として，労働者の勤務地や職務内容を決定する権限が使用者にあると定められることが多い。

　この権限は，配転命令権と呼ばれる。使用者に配転命令権が与えられるとしても，業務上の必要性が存在しない場合や，必要性が存在する場合においても不当な動機・目的を持ってなされた場合，労働者に通常甘受すべき程度を超えて不利益を負わせる場合などには，権利の濫用として当該配転は無効とされる[5]。


## 【注】

1）厚生労働省ホームページ　https://www.mhlw.go.jp/stf/seisakunitsuite/bunya/koyou_roudou/roudoukijun/keiyaku/index.html 参照。
2）大日本印刷事件　最2小判昭和54・7・20 民集33巻5号582頁。
3）三菱樹脂事件 最大判昭和48・12・12民集27巻11号1536頁。
4）さらに勤務地の変更を伴う配転は，転勤と呼ばれる。
5）東亜ペイント事件 最二小判昭和61・7・14 労判477号6頁


## 引用・参考文献

小畑史子ほか（2023）『労働法（第4版）』有斐閣ストゥディア
水町勇一郎（2024）『労働法（第10版）』有斐閣

# 第10章
# 会社のしくみに関する法律知識

## 1　はじめに

　みなさんの日常生活において，意識しているといないとに関わらず，会社はさまざまなところで関連性を有している。例えば，朝起きて顔を洗い，朝食を食べる。この時，洗顔に使う石鹸や朝食に使われる食材の多くは，会社が製造して販売したものである。その後，バスや電車で大学へ行く。ここでもバスや鉄道会社との間に運送契約を締結していることになる。そして大学を卒業すると，会社に就職する人も多いことであろう。

　本章では，法的な側面から，会社のしくみを捉えられるよう解説する。会社の内部関係を理解するには，会社法が重要となる。そこで，会社法の体系を確認してから，内部機関である株主総会，取締役会のしくみを整理する。その上で，資金をどのように調達するかという点について，会社法との関係で確認する。

## 2　会社法の体系

　会社法は，もともと商法典第2編に規定されていたものである。現在の商法典は，総則，商行為，海商の3つの編から構成されているが，商法制定時は，この中に会社および手形に関する規定が存在していた。

　昭和7年に，手形法，小切手法が独立の法律となったことから，商法の中の手形法が削

除された。

　その後，平成17年のいわゆる「会社法制現代化」に伴って，商法典の会社に関する規定は，有限会社法，商法特例法と共に，会社法として独立の法律となり，商法とは別の1つの法典になった。これにより，会社に関する規定が，わかりやすく再編成された。

　具体的には，カタカナ表記されていたものをひらがな表記とし，用語を整理し，解釈の明確化を図るための規定の整備を行ったことなどが挙げられる。

　会社法の全体像を編ごとに整理すると，以下のようになる。

| 第1編 | 総則 |
|---|---|
| 第2編 | 株式会社 |
| 第3編 | 持分会社 |
| 第4編 | 社債 |
| 第5編 | 組織変更，合併，会社分割，株式交換及び株式移転 |
| 第6編 | 外国会社 |
| 第7編 | 雑則 |
| 第8編 | 罰則 |

さらに第2編の株式会社に関する規定を章ごとに見てみると，以下のとおりになる。

| 第1章 | 設立 |
|---|---|
| 第2章 | 株式 |
| 第3章 | 新株予約権 |
| 第4章 | 機関 |
| 第5章 | 計算等 |
| 第6章 | 定款の変更 |
| 第7章 | 事業の譲渡等 |
| 第8章 | 解散 |
| 第9章 | 清算 |

　会社には，株式会社，合名会社，合資会社，合同会社がある。ここでの株式会社以外の会社は，その特色から持分会社と呼ばれている。しかし，一般的に会社といわれる場合，

株式会社を示すことが多いことから，第2編株式会社に着目して，会社のしくみに関する法的な理解を深めていくこととする。

　第2編をみると，会社の成立（設立）から始まっており，その後，会社法のいわゆる柱とされる4章　機関（コーポレートガバナンスとも呼ばれる）へ向けて，株式を用いたコーポレートファイナンスに関する2章　株式，3章　新株予約権の規定が置かれている。その後，4章　機関の規定を経て，余剰資金の返却に関連するコーポレートファイナンスの規定として5章が置かれている。

　その後で，会社の基本的なルールである定款変更に関連する規定，事業譲渡の手続等に関する規定が置かれ，8，9章において会社の消滅に関する規定が置かれている。

# 3　株主総会のしくみ

　それでは，株式会社の機関のうち，株主総会についてみてみよう。株主総会は，会社に対して出資を行った者である株主の集合体である。株主総会は，株主の総意に基づいて，会社の意思を決定する機関である。

　そうすると，この株主総会が会社の経営に関連するあらゆる事項を決定できるものと思われるかもしれない。しかし，株主は，会社に対する出資者であって，必ずしも経営に対する十分な知識や能力を持っているとは限らない。

　そこで会社法は，取締役会を設置しない比較的小規模の株式会社では，株主総会を万能の意思決定機関としているものの，取締役会を設置している株式会社では，株主総会での決定事項は，取締役の選任，解任や合併などのように会社の組織の改編が行われるような事項に限定されている。

　これは，株式会社の所有者が株主であり，経営に従事するのが取締役をはじめとするいわゆる従業員であると分けて考えられていることから説明される。このように所有と経営の分離を制度化して，機動的，合理的な株式会社の経営を実現するしくみとなっている。例えば，日常的な経営についてまで逐一，株主総会で意思決定をしないといけないという

第10章　会社のしくみに関する法律知識 | 81

ことでは，円滑な取引や経営ができないことになる。このように考えれば，株主総会と取締役会とに分離されていることの意味は理解できよう。

## ❶ 株主総会の権限

先に述べたように，株式会社の中には，取締役会を設置していないものもある。しかし，ここでは，取締役会を設置する株式会社のしくみを前提として説明する。

株主総会で決定できる事項は，会社法または定款で定められた事項に限定される。定款は，会社の組織，運営上の基本的なルールを定めたものである。株式会社はその設立にあたって，定款の作成が義務づけられる（会社法26条1項，なお，以下では会社法については条文番号のみ，かっこ書きで示すこととする）。

株主総会で決定される事項には具体的には，どのようなものがあるだろうか。基本的には，以下の4点に分類される。

第1に，取締役会の選任，解任に関する事項である（329条1項，339条1項）。会社の価値を高めることに強い関心を持つのは，会社の所有者である株主であるといえる。このことを通じて，株主は経営に対する考えを反映させることにもなる。

第2に，会社の基礎的な変更に関するものである。主なものとしては，定款変更（466条），事業譲渡（467条1項），合併（783条，804条）などである。これらは，会社の方向性に大きな影響を与えるものであるから，株主総会に決定権限を与えている。

第3に，剰余金の配当（454条1項）など，株主の経済的利益にとって重要なものである。

第4に，取締役会に自由に決定させると，株主の利益が害される恐れがある事項として，取締役の報酬の決定（361条1項）などが挙げられる。

## ❷ 株主総会の招集

続いて，株主総会の招集手続について確認しよう。株主総会には，2種類ある。定時株

主総会と臨時株主総会である。

定時株主総会は，事業年度の終了後，一定の時期に開催されることが義務づけられている（296条1項）。日本の株式会社の大半は，事業年度が3月末日に終わるため，その後6月にこの定時株主総会を開催することが多い。

臨時株主総会（296条2項）は，総会を開催する必要が生じた場合，例えば，突然，合併案が浮上したような場合に開催される。

招集にあたっては，取締役会は，以下の事項を決定しなければならないものとされている（298条1項，4項）。

第1に，株主総会の日時と場所である。株主総会の開催場所は，本店所在地の他，自由に選択することができる。必要に応じて開催場所を変更することもできるが，大きな変更を行う場合には，その理由を招集通知に記載しなければならないことになっている（299条4項，298条1項5号）。

第2に，議題がある場合には，それを決定しなければならない（298条1項2号）。取締役会を設置している会社においては，あらかじめ決定されている事項しか株主総会で決議することができない（309条5項）。これは，事前に知らされた決議事項を株主が判断材料として，総会への出席を検討したり，総会での議論の準備ができるようにしたりするためである。

第3に，株主総会に出席しない株主に対して，書面か電磁的方法による議決権行使を認める場合には，その旨を決定しなければならない（298条1項3号，4号）。このような書面または電磁的方法による議決権行使の制度は，株主総会において多くの株主の意見を反映させることができる点で望ましいものと考えられるため，株主の数が1,000以上の会社では，書面投票制度の採用が義務づけられている（同条2項）。

その他の決定事項については，法務省令で定める事項（同条1項5号）とされている。これは具体的には，会社法施行規則63条に記載されている。

# 4　取締役会のしくみ

## ❶　取締役

　すでにみたように，取締役は株主総会決議において選任される（329条1項）。この際の決議方法は普通決議によるが，通常の普通決議とは異なり，定款に記載することで定足数要件をなくすことはできない。したがって，定款の定めをもってしても，少なくとも3分の1以上の議決権を有する株主の出席は必要である（341条）。

　取締役は，会社の業務上の意思決定や業務執行に従事すると共に，他の取締役の職務執行を監督する役割を果たすことが求められる。しかし残念ながら，必ずしも取締役がこの通りの役割を果たすとは限らず，楽をしようとしたり，会社よりも自分の利益を優先した行動をとったりする可能性もある。

　そこで，取締役がきちんと職務を果たすようにするしくみが必要になる。先にみたように，株主総会が取締役の選任，解任を担うこともこのしくみの1つであるといえる。その他のしくみについて，会社法上はどのように定められているだろうか。

　そもそも，取締役は，会社によって経営を委任されている（330条）。このことは，取締役が，その職務執行に対して，善良なる管理者の注意義務（善管注意義務）を負うことを意味する。これは，民法644条によっても確認できる。

　また取締役は，法令，定款，株主総会決議を遵守し，会社のために忠実に職務を執行しなければならない（355条）。これは忠実義務と呼ばれる。

## ❷　取締役会の招集と運営手続

　取締役会の招集は，それぞれの取締役が行うことができるが，招集権者を定款または取締役会で定めることもできる（366条1項）。招集通知は，書面でも口頭でもできるが，取締役会開催の1週間前までには発しなければならない（368条1項）。ただしこの手続

は，取締役，監査役全員の同意があれば省略することができる（368条2項）。

　取締役会の招集通知は，株主総会の場合とは異なって，議題を示す必要はない。これは，経営においては状況に応じて柔軟な判断が必要となることや，そもそも取締役は経営の専門家としての手腕を買われて就任しているものであるため，取締役は固定された議題以外にも付帯的な事項が生じることは，当然に予想できるべきであることがその理由となる。

　取締役会の議事運営について，会社法は規定を置いていないため，定款や取締役規則によって運営される。このように取締役会は，会社の自立性を重視して運営されることが求められている。株主総会では取締役の説明義務があったが，取締役会では，このようなことは法律で義務づけられてはいない。とはいうものの，説明を求められたにもかかわらず，これを無視して強行に採決を行う等の場合には，その取締役会決議は無効とされる可能性がある。

　次に，取締役会の決議についてみていこう。取締役会の決議は，議決権を有する取締役の過半数が出席し，その出席取締役の過半数の賛成で可決される（369条1項）。取締役会の決議は株主総会決議とは異なり，一人一議決権を有する（株主総会は一株一議決権）。これは，取締役が経営の専門家としての個性を重視して選任されていることが根拠となっている。したがって，代理人による行使は認められない。他方，定款で定めれば，書面による決議も認められる（370条）。

　また，例えば，会社財産を特定の取締役に譲渡するなどの場合には，その取締役の利害と会社の利害が対立する可能性もあることから，この取締役は取締役決議には参加できないことになっている（369条2項）。

# 5　資金調達手段

　株式会社は，利潤を得るために資金を必要とする。この資金はどのように調達されるのだろうか。これについて会社法は，募集株式の発行等，新株予約権の発行，社債の発行の3種類について規定している。そこで本章の最後として，この3種の方法について概観する。

第10章　会社のしくみに関する法律知識　| 85

# ❶ 募集株式の発行等

　資金調達手段の1つとして，授権株式総数（定款で定められた発行可能株式総数）の範囲内で，会社成立後に株式を発行することができる。この場合，新たに株式を発行する場合と，自社で保有する自己株式を発行する場合とがある。

　新たに株式を発行する場合には，株主割当て，第三者割当て，公募の3種類の方法がある。そこで，それぞれの発行方法をみておこう。

## （1）株主割当て

　既存の株主に対し，株式の割当てを受ける権利を与える方法でなされるものが株主割当てである（202条1項）。ここでは，株主は持株比率に応じて，比例配分においてこの権利を持つことになるため，きちんと金銭等を払い込めば，持株比率は変化せず，株主の利益を害することはない。

　このように株主割当ては，株主保護を図りながら資金調達ができる方法であるといえる。しかし，株主割当てを実質的に強制すると，調達先が株主に固定化されてしまう恐れがある。そこで，特段有利な価格で株式を発行するような場合は別として，一般的には，募集株式の募集事項の決定を取締役会の権限として（201条1項），株主割当て以外の方法を認めている。

## （2）第三者割当て

　株主に株式の割当てを受ける権利を与えずに募集株式を発行する方法のうち，特定の者（株主の場合もあるが，そうでなくてもよい）に対してのみ，勧誘，発行を行う方法を第三者割当てという。この方法によると，株主割当ての場合と異なり，既存の株主の持株比率は変動する。さらに，この際に払込金額が募集株式の引受人にとって特に有利な場合（時価より特に安い価格である場合など）には，既存の株主の利益を害することになる。したがっ

て，この方法は，会社の業績が不振であるため，株主割当てや後でみる公募の方法では，引受人を探すことが困難な場合などの限定的なケースで利用される方法であるといえる。

## （3）公　募

　株主に株式の割当てを受ける権利を与えずに行われる募集株式の発行のうち，不特定多数の者に対して引き受けの勧誘をするものを公募という。株式の新規発行をしようとする場合や，株式を上場している会社が，市場価格がつけられている株式を対象に行う方法である。この場合，既存の株主の持株比率は変化することになる。しかし，公募の場合，払い込み金額は，市場価格またはそれを少し下回るぐらいの金額での発行（時価発行）となるため，既存株主に経済的損失を与えることにはならない方法であるといえる。

## ❷ 新株予約権

　次に，2つ目の資金調達手段としての新株予約権がどういうものかということを確認していこう。

　新株予約権は，会社法の規定によって意味を確認すると，会社に対して行使することにより，株式の交付を受けることができる権利である（2条21項）。

　例えば，株式会社甲が，将来のある期間，○○年4月1日から翌年3月31日までの間を権利行使期間とする，1株あたり10万円で100株まで取得できる新株予約権が発行され，Aがこれを取得したとしよう。この場合，権利行使期間に，この株式の市場価格が1株あたり15万円になっていたとしても，Aは，新株予約権を行使すれば，この株式を1株あたり10万円で100株まで取得できることになる。そこで，Aが新株予約権を行使して，10万円で100株を取得したとする。すると，10万円×100株＝1,000万円が払い込み金額となる。しかし，この株は市場価格1株15万円なので，100株だと15万円×100＝1,500万円の価値があることになる。そこで，Aがこれをすべて市場において売却すれば，差額（1,500万円−1,000万円）の500万円の利益を得ること

ができる。

　このように新株予約権は，会社に対する株式取得の権利である。なお，この権利は，有償の場合も無償の場合もある。

## ❸　社　債

　資金調達手段の，そして本章の説明の最後として，社債について概観しておこう。

　社債は，一般投資家から直接に資金を借り入れるもので，金融機関などを通じて資金を借り入れる間接金融に対し，直接金融と呼ばれる。間接金融よりも，コストをかけずに資金を調達できる点に特色がある。

　募集株式発行と類似するものの，差異は以下の点にある。第1に，社債の場合，会社は確定利息を支払うことになる。これは，借り入れであることから必然である。第2に，清算手続において，株式に先立って元本と利息を弁済しなければならない，第3に，基本的に株式は払い戻しを受けられないが，社債は償還期限がくれば，実質的な払い戻しである償還をしなければならないことである。

### 引用・参考文献
中東正文ほか（2021）『会社法　第2版』有斐閣ストゥディア
弥永真生（2021）『リーガルマインド　会社法　第15版』有斐閣
近藤光男ほか（2021）『基礎から学べる会社法　第5版』弘文堂
伊藤靖史ほか（2021）『会社法　第5版』有斐閣

# 第11章
## 職場における自己成長

　現在，社会全体における就業意識は変革の時期を迎え，個人の価値観や生活に応じたさまざまな働き方が選択できるようになりつつある。自ら望む人生を創り出すためには，職場環境や人間関係に対していつでも受け身でいるのではなく，主体的に周りの人々に働きかけることも必要である。

　ベネッセ教育総合研究所の「若者の仕事生活実態調査報告書―25 ～ 35 歳の男女を対象に―」（2006 年）によると，有職者が仕事をする上で重視することについて，上位5つの項目は，（1）「自分のやりたい仕事であること」（43.7%），（2）「給料が高いこと」（37.8%），（3）「職場の雰囲気がよいこと」（37.4%），（4）「自分の個性や能力が生かせること」（35.4%），（5）「長期間安定して働けること」（21.3%）であると報告されている。この結果から，働いている社会人にとって仕事は，生活のための収入源であるだけでなく，自己実現の場であることがわかる。

　自分にとっての「仕事をする上で重要視すること」が，企業側から十分に提供されているかどうかをチェックすることで，現状における働きがいを確認することができる。しかし，一方で，会社側からの動きを待つだけではなく，やりたい仕事を得られるよう自ら周りに働きかけたり，自分の能力やスキルを向上させたりすることで，給料アップや長期雇用につなげることもできる。また，ストレスに上手く対処することで，職場の人間関係や雰囲気をポジティブに捉えられるようになる。このように，今後のキャリアプランを考えて，職場に対して能動的なアプローチをし，自ら「働きがい」を創り出すことが今後ます

ます重要となってくる。

　この章では，自己実現のために学び続ける重要性を理解するとともに，職場を語るうえ
で切り離せない問題である「ストレス」について，対処法を中心に学んでいく。

# 1　社会に出てからの学び

　社会人になると「キャリアを積む」という表現を耳にするようになる。この言葉は，単
に仕事の経験を積むということだけに留まらない。仕事に取り組む中で，経験のみならず
知識と技術を身につけること，そして自分自身の生き方や人間性までも磨いていくことで
ある。働くことと学ぶこととは，切り離すことができない関係にある。社会では，生涯に
わたって継続的に学び続けることが求められる。

　職場によって，提供される学習機会はさまざまである。それぞれの職場において，人材
育成のための教育・研修制度が独自にプログラムされている。また，どのように仕事のス
テップアップを図っていけばよいかなど，キャリア形成における相談などにも応じてもら
える。多くの企業が導入している主な制度には，キャリア・コンサルティングやキャリア
カウンセリングの提供，キャリアデザイン研修，メンター（助言者）制度，e- ラーニング
などがある。教育制度については，就職活動の際に会社説明会等で確認することができる。

　職場の人材育成については，雇用側による強制的な研修もあるが，最終的なキャリア形
成の責任は従業員個人にあることが前提とされており，自主的な学びが奨励されている。

## ❶　職場で提供される教育研修

　企業等では，教育研修を提供することで，従業員の能力開発を図っている。その種類と
しては，職場内で具体的な仕事を通して行われる OJT（On tho Job Training）と研修所
などの職場外で行われる Off-JT（Off the Job Training）がある。

　OJT は，基本的に職場の上司や先輩が，部下や後輩に 1 対 1 で指導することが多い。

指導を受ける側の仕事の理解度や熟達度に応じたきめ細かな教育を提供できることが，メリットとして挙げられる。一方で，指導者が自分の業務との両立を図らなくてはならず，精神的・時間的な負担が増えてしまうため，教育効果については，指導者の意欲や力量によってばらつきが出てしまうという課題がある。

　Off-JT には，新入社員研修や管理職研修などの階層別の研修会や，営業スキル研修などの職能別の研修会などがある。方式もさまざまで，講義形式だけでなく，グループディスカッションやビジネスゲームなどの受講者参加型の研修や，通信教育も Off-JT に含まれる。目的と対象者が明確なため体系的に知識を整理できるが，実際の業務に直結するとは限らず，現場への応用を検討する必要がある。よって，新人研修などでは特に，Off-JT と OJT を上手く組み合わせて人材育成を図ることが多い。

　多くの企業では，OJT と Off-JT 以外にも，従業員に対して，資格取得講座や通信教育の受講料を補助したり，外部の教育機関と連携を取って情報提供をしたりするなどの支援を行っている。このように，知識や能力を向上させるための従業員個人による自発的な学びを職場全体で促進する取り組みがなされている。

## ❷ 学びのプランニング能力

　1950 年代から 80 年代の終身雇用と年功制に代表される日本的経営システムにおいては，新卒で入社した会社に定年まで勤めることが，安定した生活のための既定ルートのように考えられていた。しかし，その後，日本社会は，経営環境の変化や国際競争の激化により，大きな変化の時代を迎えた。今では，人々の価値観や労働観も多様化し，会社のみならず，そこで働く社員たちも，仕事やライフスタイルに多くの選択肢を持つようになった。自ら転職を希望したり，他社からの引き抜きに応じたり，自発的に退職しベンチャービジネスに挑戦するなど，多種多様な働き方が見受けられるようになっている。このような流動性が高い社会では，従来型の年功制のように勤続年数によって会社から教育訓練の機会が自動的に提供されるとは限らない。したがって，いかにして仕事での自己価値を高

第 11 章　職場における自己成長 ｜ 91

めていくかについて，自分自身の学びを主体的にプランニングする能力が求められる。

## ③ リカレント教育

　高齢化が進み人生 100 年時代を迎えると，老後の生活を見据えて 1 年でも長く働く必要性が高まってくる。あらゆる面で変化が激しい時代において，社会から求められる人材であり続けるためには，絶え間ない能力向上が欠かせない。そのような背景から，リカレント教育が注目をされている。リカレント教育は，個人が必要に応じて再び教育を受けたり学び直したりすることが可能なシステムである。例えば，多くの大学では，社会人選抜入試や夜間部の設置，昼夜開講制を導入するなど，社会人が働きながら大学に通うことができる制度を整えている。大学に通うことが困難な場合は，一部の大学・短期大学で導入している通信教育を利用して学ぶこともできる。また，全国的に多くの大学で公開講座が開講されており，地元住民を対象に高度な学習機会を提供している。

　実際，専門スキルを高めるために，社会人になった後も教育を受けている個人は多く，令和 2 年 4 月の文部科学省の資料[1] では，大学・専門学校等における正規課程と短期プログラムの社会人受講者数は，2016 年で約 50 万人，大学の公開講座の受講者数は同年で約 134 万人であった。テクノロジーの進化とともに，時間や場所，お金にとらわれず学習できるようになり，長寿社会での人生設計を踏まえたリカレント教育は，今後ますます普及していくであろう。

# 2　職場におけるストレスとその対処法

　長く働ける人材であるためには，職場において避けられない問題であるストレスについても学ぶ必要がある。ストレスを知り，上手く対処していくことが，キャリア開発にとって大切なスキルの 1 つといえる。

## ❶ 職場におけるストレスの原因

　職場内におけるストレスの原因は，①職務に本質的なもの，②組織における役割，③キャリア発達，④仕事における人間関係，⑤組織構造や風土が考えられる（Cooper & Marshall,1976）。職務に本質的なものとしては，仕事量の多さ，夜間勤務などの時間的な制約，ノルマなどが挙げられる。組織における役割が原因のストレスとは，例えば，中間管理職が上司と部下との間で板挟み状態になることや，逆に組織の中で自分の役割が曖昧でどのように行動してよいか判断に迷うことなどである。キャリア発達に関連したものについては，派遣社員や契約社員などの不安定な雇用や，なかなか昇進できない場合，地位が高すぎる場合にストレスを生じることがある。仕事による人間関係に由来するストレスは，職場の上司・部下・同僚とうまくいかないことで感じやすい。組織構造や風土については，組織の理念や規範などによって形成されているものであるが，職場の方針ひとつとっても，それが従業員個人の考え方や価値観と合わなければ，その個人にとっては大きなストレスの原因となる。では，上記のような組織内ストレスは，どのように対処すればよいのだろうか。

## ❷ 対処法①　信頼できる相手に相談

　厚生労働省の令和３年労働安全衛生調査（実態調査）の結果[2]によると，職場において強いストレスを感じる事柄は，「仕事の量」（43.2%）が最も多く，次いで，「仕事の失敗，責任の発生等」（33.7%），「仕事の質」（33.6%）であった。また，自分の仕事での不安や悩みを相談できる人がいる労働者の割合は 92.1%で，そのうち実際に相談した割合は，69.8%と報告されている。実際の相談相手（複数回答）としては，「家族・友人」（71.5%）が最も多く，次いで「上司・同僚」（70.2%）となっている。この結果からわかるように，職場での悩みの相談は特別なことではない。

第 11 章　職場における自己成長 ｜ 93

1対1の人間関係であっても，職場において悩みがある場合は，自分1人で抱え込まず，信頼できる相手に相談することが大切である。第三者的なつながりを持つ良き相談相手は，「メンター」と呼ばれている。職場の上司や同僚に限らず，親戚や学生時代の恩師や先輩なども，メンターとして，直接的な利害関係のないところで相談者個人のキャリアについて助言してくれる場合がある。

企業の中には「メンター制度」を導入して，新入社員に対しメンター役の先輩をつけることで，仕事に関連する悩みを解消するよう努めているところもあるが，原則は個人自ら相談相手を見つけることである。相談することによって上司や先輩，同僚との関係が深まることもあるため，安心して相談できるような関係性を，日々の業務の中で維持していくことが大事である。信頼関係の構築に必要なことは，常日頃から上司・先輩・同僚に対し「報告・連絡・相談」（ホウ・レン・ソウ）を小まめに行うことである。

## ❸ 対処法② オンとオフの切り替え

仕事を終えた後に充実した自由時間を過ごすことが，翌日の業務や自ら進んで取り組む職場行動にプラスの影響をもたらす。逆に仕事に追われ十分な自由時間をとれなかった人は，翌日の仕事への意欲が高まらないという研究結果が報告されている（Sonnentag, 2003）。ストレスをため込まないように，毎日の仕事後に自分のプライベートの時間をある程度確保し，心身をリラックスさせることで，次の日の仕事のやる気につながる。また，ストレスの原因になっている問題に向き合うことがつらい場合や，強いストレスを感じたときは，いったん仕事を脇において，自分の好きなことや趣味などを行って気分転換することも必要である。

## ❹ 対処法③ 仕事へのやる気の引き出し方

最後に，与えられた仕事が期待外れで不満を抱えた場合のストレスに関して，対処法を

考えてみよう。就職活動を開始する前に，自己分析を十分に行うことで，職業選択におけるミスマッチをある程度は回避できる。どのような仕事をしたいのか具体的な目標を持って就職活動をするよう奨励されてはいるが，一方で，あまりそれに固執しすぎると，後々壁に突き当たることも，覚えておくとよい。入社後，就職活動中に希望していた部署ではなく，別の場所に配属になることも多く，社会人1年目から，すぐにやりたい仕事をさせてもらえるとは限らない。新人は特に，コンピューターへのデータ入力や書類整理などの「定型業務」と言われる単調で繰り返しの仕事を任されることが多い。定型業務は仕事へのモチベーションを抑制する傾向がある（有吉・池田・縄田・山口，2018）ため，真剣に就職活動をした新入社員ほど，「自分はこんなことをするために，ここに入ったわけではない」と感じてしまい，やる気を削がれてしまうことがある。そうならないためには，「何をやるか」ではなく，まずは与えられた目の前の仕事を「どのようにやるか」のほうに気持ちを向けるほうがよい。

　有吉他（2018）の研究によると，定型業務によって仕事のモチベーションが抑制されてしまう理由は，自己成長や達成感，顧客や社会への貢献が感じられないからである。その対処法としては，自分の好き嫌いなどの感情にとらわれることなく，仕事を「どのように面白くするか」を考え工夫をすると，首尾よくできたときに達成感を得られる。与えられた仕事を通じて「できること」を着実に増やしていくことで，自己成長を感じながらキャリアの開発につなげていく姿勢が大切である。

## 【注】

1) 内閣府（2022）「文部科学省におけるリカレント教育の取組について」
   （200409koyou03.pdf（cao.go.jp）2023年6月28日アクセス）
2) 厚生労働省（2021）「令和3年労働安全衛生調査（実態調査）【個人調査】」
   （r03-46-50_kekka-gaiyo02.pdf（mhlw.go.jp）2023年6月28日アクセス）

## 引用・参考文献

有吉美恵・池田　浩・縄田健悟・山口裕幸（2018）「定型業務がワークモチベーションを抑制する心理プロセス：職務意義の媒介効果」『実験社会心理学研究』58（1），53〜61ページ。

ベネッセ教育総合研究所（2006）『若者の仕事生活実態調査報告書―25 ～ 35 歳の男女を対象に―速報版』ベネッセコーポレーション Benesse 教育研究開発センター。

Cooper, C.L., & Marshall, J. (1976) "Occupational sources of stress: A review of the literature relating to coronary heart disease and mental ill health", Journal of Occupational Psychology, 49 (1), pp.11-28.

金井篤子（2015）「職場のストレスとサポート」田中堅一郎編『産業・組織心理学エッセンシャルズ　改訂三版』ナカニシヤ出版

久保真人（2015）「職場のストレスとメンタルヘルスの心理学」太田信夫監修・金井篤子編『産業・組織心理学』北大路書房

尾野裕美・岡田昌毅（2017）「人事の心理学」太田信夫監修・金井篤子編『産業・組織心理学』北大路書房

Sonnentag, S. (2003) "Recovery, work engagement, and proactive behavior: A new look at the interface between nonwork and work", Journal of Applied Psychology, 88 (3), pp.518-528.

# 第12章
# 就職活動

　就職活動には，具体的な進路を見つける準備期間と，応募先で選考を受ける活動期間がある。学生は，採用通知を受け取り，企業に「入社承諾書」を提出することによって「内定」が得られ，就職活動を終える。しかし，内定はゴールではなく，新たなスタートであると考えたほうがよい。大学時代の就職活動は，長い人生におけるキャリアの第一歩に過ぎない。内定獲得後も将来を見据えて，継続的に自己研鑽を積むことが求められる。本章では，就職活動の内容と，就職活動後にやるべきことについて学んでいく。

## 1　就職活動の準備と就職試験について

**❶**　就職活動の大まかな流れ

　一般的に就職活動期間は，自己分析から始まり，就職先が最終的に決定するまでのことを言い，次のような段階を進んでいく。

> ①自己分析　⇒　②業界・企業研究　⇒　③採用説明会　⇒　④エントリー
> ⇒　⑤筆記試験　⇒　⑥面接試験　⇒　⑦内定

　上記は標準的な流れであるが，そのとおりの順番で進むとは限らない。大学生の就職活動は，同時に複数の企業に応募できるため，自主性と計画性が求められる。自分が行きた

| 97

い業界や企業に合わせて柔軟に対応することが重要である。

## ② 就職活動の情報の入手先

（1）キャリアサポートセンター

　就職活動の情報については，大学に設置されている就職支援の部署である「キャリアサポートセンター」から入手するとよい。学内外からの就職に関する情報が即時に入ってくる場所であることから，学生は頻繁にセンターに通うことで，常に生きた新鮮な情報を得ることができる。

（2）インターネット

　現在の就職活動の主な情報源といえば，「リクナビ」や「マイナビ」に代表される数多くのインターネットの就職情報サイトである。希望業種や地域など自分が求める条件に合った求人先を瞬時に検索できたり，就職活動のマナーや試験対策のポイントなどがサイト上に掲載されていたりと，多彩な関連情報を気軽に入手できるのが魅力である。

（3）新聞，雑誌，書籍

　筆記試験で時事問題を問われたり，面接で新聞記事に関する質問が来たりするため，就職活動においての重要な情報源は新聞だと言われている。特に，希望業界に関する情報などビジネスニュースの記載が多い日本経済新聞は，企業に就職を希望している学生にとっては，必要不可欠の情報ツールである。雑誌や書籍についても，就職に関連するものが多く出版されているので，図書館などを利用して目を通しておくとよい。

（4）会社説明会

　採用説明会には，合同説明会，個別説明会がある。合同説明会については，大学側が主催する学内合同説明会と，就職情報を扱う外部業者が主催する学外合同説明会がある。ま

ずは，合同説明会に参加し，できる限り多くの企業・施設・団体のブースに立ち寄り，話を聴くことが重要である。それにより，視野を広げることができ，自分に合った就職先に出会う可能性を高めることにつながる。

（5）インターンシップ

インターンシップは，学生が一定期間，企業等の中で研修生として働き，自分の将来に関連する就業体験を通じて学ぶことである。受け入れ側の主なメリットとしては，採用活動前に学生との接点を持てることや，会社の情報などを直接伝えて理解を促進することができることである。学生側の主なメリットは，企業での実際の様子が見られるため，就職試験に応募する前に，自分が希望する業種・企業が自分に合っているかどうか確かめられることである。インターンシップの情報については，キャリアサポートセンターに尋ねるか，「リクナビ」・「マイナビ」などの就職情報サイトでも入手できる。積極的にインターンシップに参加し，職場を自分の目で見て直接体験してみるとよいだろう。

（6）OB・OG 訪問

興味のある業界や企業が見つかった後に行われるのが，自分の卒業した高校や大学の先輩に話を聴きに行く OB・OG 訪問である。会社説明会では聞き出せない先輩社員の本音の情報を仕入れることができるのが，メリットである。また，筆記試験や面接試験の突破のコツや準備方法などを教えてくれるのも魅力である。就活生にとって，OB・OG から入手した情報は，就職活動後半で重視され，第一志望先からの内定や早期の就職活動終了に結び付きやすいことが研究結果でも明らかにされている（下村・堀，2004）。OB・OGを探す方法としては，サークル・部活・ゼミナールの先輩を頼ったり，キャリアサポートセンターに相談したりするとよい。

**❸ 書類選考**

　応募の第一段階として重要になるのが，エントリーシート（ES）である。企業の書類選考として提出を求められることが多く，人事担当者は ES を読んで初期の段階で応募者を絞り込む。企業から課せられる ES の主な質問項目としては，自己 PR や志望動機，学生時代のエピソードなどがある。応募者が面接に進んだ場合は，ES を見ながら質問をしていくため，面接で何を聞いてもらいたいかを考えて記入するとよいだろう。ES だけの提出でよい企業と履歴書の提出も必要な企業，逆に，ES は求められず履歴書のみで書類選考をする企業もある。

**❹ 筆記試験**

　就職試験で課せられる主な筆記試験には，①基礎学力や社会的な常識をテストする一般常識の試験，②物事に関する意見や考えを論理的にまとめることができるかを評価する小論文・作文の試験，そして，③基礎能力や性格をチェックして入社後の適性を分析する適性検査がある。試験の方法は，企業内会場での紙面上のものもあるが，自宅や大学のパソコンでも受けられる Web テストや，テストセンターと呼ばれる特定の試験会場での受検を求められることもある。いずれにしても，筆記試験の通過のためには，大学時代のなるべく早い時期から筆記試験の準備計画を立て，しっかり勉強をしておく必要がある。

**❺ 面接試験の種類**

　主な面接試験の形式には，個人面接，集団面接，グループディスカッションの３種類がある。それぞれの形式の特徴を押さえ，事前に対策を練るとよいだろう。まず，個人面接は，最も頻繁に行われている形式で，応募者１名に対して面接官が１名以上で行われるも

のである。面接官の注意が自分一人に集中するため，緊張すると思われるが，他の応募者を気にすることなく，比較的，自分のペースで受け答えができる。

　それに対し，集団面接は，3人から5人程度の応募者に対し，数名の面接官で評価する方式であるため，1人の回答時間が限られてしまう。よって，伝えたいことを簡潔明瞭に言えるようにしておく必要がある。採用側にとっては，一度に応募者同士を比較でき効率もよいため，集団面接は応募者が多い企業で行われやすい。

　グループディスカッションは，4名以上の応募者でグループとなり，与えられたテーマについて，討論をする形式で行われる。それぞれのグループに面接官が1名から複数名付いて，観察し評価を行う。自由に意見を出し合う形式のものもあれば，賛否両論あるテーマについてあらかじめどちらかの立場を割り振られて論じるディベート形式もある。

　これらすべての面接試験において共通しているのは，慣れない場において初対面の人と意思疎通を図ることを求められ，その能力を評価されることである。就職活動で受ける面接は，よほど慣れていない限り，学生にとっては，かなりの緊張を強いられる。普段以上の力を急に発揮できるとは考えにくい。したがって，就職活動に入る前に，授業や部活動，サークル活動，ボランティア活動，地域活動など，普段の大学生活の中で，積極的に初対面の人とも会話や雑談をするよう心がけ，コミュニケーション能力を高めておくことが必要である。

## ❻　面接試験で大切なこと

　面接時における採用側の観点は，態度面では，身だしなみ，ビジネスマナー，能力面では，コミュニケーション能力である。コミュニケーションには，言語的な側面と言葉ではない非言語メッセージによるものがある。まず，言語運用能力の面では，今まで何を頑張ってきたのか，これから何をしたいのかなど経験や志望動機を尋ねて，応募者が質問の答えを自分の言葉で明確に伝えられるかどうかを評価する。また，同時に，非言語表現がチェックされ，応募者の人物評価がなされる。グループディスカッションにおいても，同じグルー

プの他のメンバーに対する言語表現・非言語表現が評価されるため，話し合いでは気を抜くことなく，メンバー全員に適切なコミュニケーションを取ることが大切である。

　面接において特に重要となる非言語要素は，アイコンタクトとスマイルである。それらは，面接場面で，自信や説得力があり明るいと認知される（McGovern & Tinsley, 1978）。また，スマイルの頻度が多い者がスマイルを適切に表現していると評価され，人事評定も高くなる傾向がある（山口，2002）。それらの非言語表現が，話している内容と合っているときに社会的に望ましい人と評価される（和田・若林，1991）ことも覚えておくとよい。事前に想定質問に対して何を言うか考えて面接練習を行い，言語的な表現に合わせてアイコンタクトとスマイルの頻度を高めていくと，よい結果につながりやすい。繰り返し面接練習をすることで自信をつけていこう。

**❼　就職活動のプロセスと自己成長**

　人気企業では競争が激しく，実力を出し切ったとしても，他の学生との相対評価で就職試験に落とされてしまうこともあるだろう。しかし，結果に関わらず，就職活動を振り返ることや積極的に活動をすることで，自己成長力が高まるという研究結果（浦上，1996）もある。たとえ希望どおりの結果でなくても，就職活動のプロセスを何度も踏むことで，自分が成長できると前向きに捉え，別の企業に再チャレンジを図ることが大切である。

# 2　就職活動後について

　内定を獲得した後も，就職後の仕事に備えて，準備をしておく必要がある。就職先にもよるが，一般的に就職前に行っておいたほうがよいことを，以下に挙げる。

## ❶ 内定先の研修会や懇親会への参加

　大学卒業までの期間，内定者に対して研修会や懇親会が開催されたり，任意での地域ボランティア活動にも声がかかったりする。入社前研修については，内定者の就職不安を下げる効果が研究結果で明らかになっている（矢崎・斎藤，2014）。職場の上司や先輩の顔を覚えて就職後の環境にすぐに適応するためにも，そのような機会には積極的に参加するとよいだろう。

## ❷ 資格取得

　就職の条件として国家資格が必要な場合は，卒業までに取得することが求められる。それ以外の場合でも，例えば，金融業界であれば，日商簿記検定やファイナンシャル・プランニング技能検定など，就職先によっては，早めに取得しておいた方が仕事上で役に立つ資格があるので，内定先に確認をし，在学中の取得を目指すとよいだろう。特に，入社直後は，日常業務も覚えなくてはならないため，資格の勉強時間を確保するのが難しい。学生時代に取得しておくほうが，時間にも気持ちにも余裕を持って社会人１年目を過ごすことができる。卒業までの時間の一部を，将来のための勉強に充てることも必要である。

## ❸ 内定先からの課題

　企業は，入社前の研修以外に，内定者に対して通信課題を出すことも多い。通信課題は，業界の定番のものもあるが，読書感想文や１か月の生活レポートなど独自の課題を出す会社もある。就職後の評価にもつながるため，通信課題だからといって手を抜くことなく，必ずすべての課題を期限厳守で提出することが重要である。

## ④ 読 書

　社会人にとって読書習慣は，知識を吸収するだけでなく，仕事上における基礎力を付ける大事なものである。内定先から課題を出される場合もあるが，そうでなくても，読書によって文章力や読解力，論理的な思考能力を身につけることができるため，読書は必要である。大学卒業までの期間で，自ら積極的に多くの書籍に接することで，言葉によるコミュニケーション能力を高めておくとよいだろう。今まであまり読書をしてこなかった学生も，早めに読書習慣を身につけ，社会に出てからの仕事の成果につなげよう。

### 引用・参考文献

McGovern, T.V., & Tinsley, H.E. (1978) "Interviewer evaluations of interviewee nonverbal behavior", Journal of Vocational Behavior, 13 (2), pp.163-171.

下村英雄・堀　洋元 (2004)「大学生の就職活動における情報探索行動：情報源の影響に関する検討」『社会心理学研究』20 (2)，93 〜 105 ページ

鈴木國世 (2013)「就活に必要な情報を集める」渡辺　峻・伊藤健市編『学生のためのキャリアデザイン入門＜第2版＞生き方・働き方の設計と就活準備』中央経済社

浦上昌則 (1996)「就職活動を通しての自己成長―女子短大生の場合―」『教育心理学研究』44 (4)，400 〜 409 ページ

和田　実・若林　満 (1991)「言語的行動と非言語的行動が採用面接に及ぼす影響についての実験的研究」『経営行動科学』6 (2)，71 〜 80 ページ

山口一美 (2002)「自己宣伝におけるスマイル，アイコンタクトとパーソナリティ要因が就労面接評価に及ぼす影響」『実験社会心理学研究』42 (1)，55 〜 65 ページ

矢崎裕美子・斎藤和志 (2014)「就職活動中の情報探索行動および入社前研修が内定獲得後の就職不安低減に及ぼす効果」『実験社会心理学研究』53 (2)，131 〜 140 ページ

第 **13** 章
# 行動計画を立てる

　ロンドン・ビジネススクールのリンダ・グラットン（Linda Gratton）教授は，『ワーク・シフト』という著書の中で，働き方の未来を変える要因について，①テクノロジーの進化，②グローバル化の進展，③人口構成の変化と長寿化，④社会の変化，⑤エネルギー・環境問題の深刻化の5つを挙げ，それらの変化に押しつぶされないよう，漫然と未来を迎えるのではなく，主体的に未来を切り開いていくことを提唱している（グラットン，2017）。会社に入れば，そのままレールに乗ってキャリアが進む時代は終わりを迎え，働き方や生き方を自分で選択していく新しい未来が，もうすぐそこまで来ている。この章では，明るい未来を自分の手で切り開くことができるよう，キャリアデザインのための行動計画について学んでいく。

## 1　大学での学びと目標設定

　就職後の将来は，現在の生活によって創られていく。大学での学問や活動を通して人や社会とつながり，それによって学ぶことができるものは，これからの人生の大きな財産になる。学生の中には，すでに将来の目標が明確に定まっていて，それに基づいて学部学科を選択した者もいるが，一方で，まだ自分の将来像がはっきりと見えていない者もいるだろう。

　社会人と比較すると，大学生は，やりたいことができる時間的余裕がある。しかし，好

| 105

きなことだけをして過ごすのではなく，将来のために今やっておかなければならないことを着実に行うことが大切である。大学時代に頑張っていてよかったと後々思えるような充実した大学生活を送るためには，まずは，第2章と第5章で学んだように，自己を分析して自分の価値観を知り，やりたいことを明確にしていく必要がある。大きな目標を達成するための小さな日常的な目標を立てることで，やらなくてはならないことへのモチベーションが保たれる。ここでは，大学の学びに関連して，どのような観点から目標を設定していけばよいか，具体的に目標設定のポイントを挙げる。

## ❶ 専門分野との関連

　大学で学問を身につける方法と仕事のキャリアを積む方法は，よく似ている。解決すべき問題や課題を把握するために現状をリサーチし，仮説を立てる。その仮説を検証するためにデータを取って分析する。そして，分析結果を考察し，今後の展開や応用を考えていく。大学ではそのような一連の方法で研究を進めていくが，社会人になってからも，学生時代に修めた学びの方法は十分に生かすことができる。例えば，新商品の開発で考えてみよう。大学時代にリサーチから始めたように，商品開発でも市場調査をし，新しいマーケットを発見していく。調査に基づき，学問でいう仮説にあたる商品企画を立てる。その企画が成功するかどうかを検証するために，試作品を作り，モニターに使ってもらい，使用感などについてアンケートを取る。アンケートデータを分析し，改良を行ったうえで，商品を製造し販売する。そして，その商品が世の中にどのように役立つかについて，今後の応用を考慮に入れながら，商品 PR を展開する。

　この例でわかるように，大学での学びの実践は，社会での仕事で必要となる思考力と実行力を得られる重要な機会となる。したがって，大学で履修する科目やそこで身につける専門知識が，将来のキャリアにどのように結びつくのか考え，大学在学中の勉学における目標を設定することが大切である。

## ❷ 表現スキル向上について

　大学では，ペアワーク，少人数でのグループディスカッションやチームでのリサーチ研究，そして，プレゼンテーションなど，アクティブ・ラーニングの機会が数多く与えられる。これらは社会に出てからも，チームで仕事をするときに必ず行われることであるため，今から積極的に参加し，自己表現のスキルを高めておく必要がある。

　社会では，自己の考えや思いを伝える表現技術が高いほうが良い評価を得られやすい。仕事上の会議では，意見の採用不採用にかかわらず，組織にとって有益なものであれば，その意見を出した個人の職務上におけるプラスの評価につながる。例えば，会社で営業担当になると，取引先などに製品や商品の説明を行う機会が増える。その説明がわかりやすく，相手の納得や承諾を引き出すに十分な説得力があれば，商談は成功し，業績は上がるだろう。また，教員やトレーナーなど人を教育したり指導したりする職に就くと，同じ考えや思いであっても，相手のやる気を引き出すのか，それとも，相手の誤解や反発心を生むのか，伝え方次第で指導の効果に差が出てしまう。

　将来，どのような職に就いても，自己表現の能力はさまざまな場面で発揮されることになる。社会人になって急に困らないためには，大学生のうちから，ディスカッションやプレゼンテーションなどの機会を積極的に活用し，失敗から学びながら，ある程度，場慣れをしておくとよいだろう。自己表現のスキルについても，目標を立て，どのように伸ばしていくか，方法を具体的に挙げて日常生活の中で実践していくことでスキルは向上する。

## ❸ 学内外での活動やアルバイト・ボランティアなどの社会経験

　アルバイトやサークル活動に限らず，大学生だからこそチャレンジできることがたくさんある。例えば，夏や春の長期休暇を利用した海外旅行や留学などは，自分が持っている価値観や文化とは違うものに触れるため，柔軟な発想や適応力が高まると期待できる。こ

第13章　行動計画を立てる ｜ 107

のように，大学生は自主的に活動範囲を広めることができ，さまざまな経験を持つ人々との接点を増やすことが可能になる。社会とつながる方法も色々あるため，希望する方法を自ら選んで，広い世界に目を向けながら，自己の可能性を広げてほしい。

アルバイトでは，お金を稼ぐ大変さと社会での仕事について考えることと，接客スキルや基本的な職業スキルについて学ぶことができる。また，ボランティア活動や地域活動などに積極的に参加すると，社会や地域の問題をじかに認識できる。それに加えて，幅広い年代の人たちと触れ合うことで，コミュニケーション能力の向上も期待できる。

大学時代を通して，これらを継続的に行うことは，就職前のウォーミングアップとなるだろう。また，アルバイト先や大学のサークルなどで経験を積んで後輩指導をするようになると，自分の能力やスキルについて客観的に確認することができ，さらなる成長への意識が高まる。教え方のスキルも身につき，社会人2年目以降の後輩指導に生きてくるため，卒業するまでなるべく継続するとよいだろう。

上記に挙げた社会経験から得られる利点を踏まえ，大学外でどのような活動をしたいか計画を立ててみよう。そして，それらの活動を通じて，具体的にどのような能力やスキルを伸ばしていきたいか，考えてみよう。

## 2　キャリアデザインマップの作成

自分のキャリアを設計するためには，目標などを紙に書き出し，イメージを明確に言語化することが大切である。具体的な行動計画をデザインマップと呼ばれる図に起こすと，自分の夢や目標，やるべきことが一目でわかり，目標達成につながりやすい。以下に行動計画を立てるときのポイントを挙げる。

　ゴールとなる長期目標を立てる

自分の人生は自分で決めることが，何より大切である。まずは将来，自分がどうありた

いかを考えることから始める。次に，キャリアの面を中心に，１年後，３年後，５年後，
10年後の自分について，プライベートな生活での理想も含めながら，想像する。その際，
自分の価値観や欲求を大事に考えるとよい。そして，なりたい自分になれたらどう感じる
かという，達成した後の満足感もイメージするとやる気が高まってくる。理想とする職業
生活のイメージができたら，それを長期目標（ゴール）として書き留めよう。

**❷ 長期目標の達成のために逆算して，中期目標と短期目標を立てる**

　次に，長期目標（ゴール）のために「やらなければならないこと」を洗い出す。なりた
い自分になるには何が必要か，伸ばすべき能力やスキルを挙げ，それらをどのように向上
させていくか，方法や行動について計画を考える。そうすることで，課題が明確になって
くるだろう。それらの課題（やるべきこと）について，中期と短期に分類した目標と，そ
れらの目標を達成するための行動計画を立てていく。長期目標から中期目標，短期目標に
なるにつれ，やるべきことは小さく分割され，詳細になっていく。

**❸ 目標の設定の仕方**

　一般的に，目標を立てるときには，何をいつまでにやるかなどを明確に考えることが大
切だと言われている。キャリアデザインのための長期・中期・短期，それぞれの目標設定
にあたり大切なポイントを，「SMARTゴール」と呼ばれる方法を使って説明する。これ
は，G. T. ドラン（George T. Doran）博士が最初に提唱したもので，S（Specific：具体的
な）・M（Measurable：測定可能な）・A（Assignable：割当可能な）・R（Realistic：現実的な）・
T（Time-related：期限設定）の頭文字を取ったものである。次ページの「SMARTゴール」
の目標設定方法に則って行動計画を立てると，より効果的に目標達成に近づける。

第13章　行動計画を立てる | 109

---

**SMART ゴール**

S （Specific：具体的な）　ゴールを明確にし，目的や手段なども具体的に設定する

M （Measurable：測定可能な）　目標の達成度が明確になるよう数字を使う

A （Assignable：割当可能な）　「誰が何をどれくらい」行うのかを明確にする

R （Realistic：現実的な）　達成可能で現実的な目標を設定する

T （Time-related：期限設定）　いつまでに達成するのか適切な期限を設定する

---

出所：Doran（1981），pp.35-36

# 3　デザインマップ―活用の注意点―

　目標と行動計画を立てたあとは，それらを有効に活用できるかがポイントとなる。スタンフォード大学のシーリグ（T. Seelig）教授は著書の中で，「自分の生活やキャリアは頻繁に点検することが大切」（シーリグ，2010：133）であると述べている。目標と計画を確認しながら，自分の行動や実績について，定期的に振り返るとよいだろう。そして，必要な場合は，修正を加えることも重要である。以下に，キャリアデザインにおける自己点検の方法について述べる。

## ❶　PDCAサイクル

　日常業務の管理方法に関して，アメリカの統計学者 W.E. デミング（William Edwards Deming）らにより提唱された理論に，Plan（計画）・Do（実行）・Check（点検）・Act（改善）の頭文字を取って PDCA サイクルと呼ばれるものがある。

> **PDCA サイクル**
>
> P（Plan：計画）　計画を立てる
>
> D（Do：実行）　計画に沿って行動する
>
> C（Check：点検・評価）　実行が計画に沿っているかどうかを評価する
>
> A（Act：改善・処置）　計画に沿っていない部分を改善する

PDCA サイクルの図

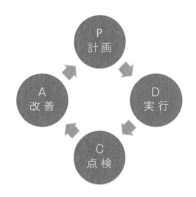

## 2 自己点検の方法

　キャリアデザインのための行動計画を実行するにあたって，このPDCAサイクルを念頭において行うとよい。まず，行動計画を設定（P）する。そして，実行に移す（D）。実行後も，やっただけで満足するのではなく，定期的に自己の行動を点検し評価する（C）。点検・評価にあたっては，キャリアの目標と今まで実行してきたことを振り返って，本当にこれでよいのかなどと確認するだけでなく，成功や失敗の要因も分析する。そして，目標達成のための行動ややり方などを含めて計画自体の修正を行う（A）。

　個人を取り巻く状況は常に変化をしているため，目標や行動計画もそれに応じて見直しや修正が必要になってくる。キャリアデザインのPDCAサイクルを回すことで，未来へ

向かって自分の進む道が拓けていくだろう。

## 引用・参考文献

旦まゆみ（2017）『自立へのキャリアデザイン 地域で働く人になりたいみなさんへ』ナカニシヤ出版

Doran, G. T. (1981) "There's a S.M.A.R.T. Way to Write Management's Goals and Objectives", Management Review, 70, pp.35-36

グラットン , L., 池村千秋訳（2017）『ワーク・シフト　孤独と貧困から自由になる働き方の未来図＜ 2025 ＞』プレジデント社

池田玲子・香坂千佳子（2013）「学生時代をどう過ごせばよいのか」渡辺　峻・伊藤健市編『学生のためのキャリアデザイン入門＜第2版＞生き方・働き方の設計と就活準備』中央経済社

岩波　薫（2012）「キャリアデザインに関する基本知識」岩波　薫・峯瀧和典『キャリアデザインとコミュニケーション』創成社

シーリグ , T., 高遠裕子訳（2010）『20 歳のときに知っておきたかったこと　スタンフォード大学集中講義』阪急コミュニケーションズ

第**14**章
# これからのキャリアデザイン

## 1　はじめに

　本書では，大学生が自分を理解する意味と，産業や法律の概要，さらに社会で成長する重要性について述べてきた。自分自身と社会をつなぐ道筋が理解できてきたのではないだろうか。しかし，今一度明らかにしたいのは，キャリアデザインを学ぶことは，内定を得るためのノウハウを得ることではなく，自分が主体となって自らの人生を作り続けていくための知識と態度を理解するということだ。そのためには，卒業時の自分，30代，40代というように複数の場面での自分を想定して，これまでの学びを整理するとよいだろう。本章では，大学を卒業したのちに自分を創り続ける視点について学ぼう。

## 2　仕事を続ける能力

### ❶　エンプロイアビリティ

　大学生にとって，働き始める姿はある程度想像できても，30代，40代と働き続けている姿を想像しようとすると戸惑うだろう。未来を計画するには，自分のこと以外にも，家族，仕事，居住地など考えなければならない要素が多く，不確定だからだ。しかし想像している未来の中心に，どのようにして収入を得続けているか，という点があるのは間違いない。

| 113

手がかりの1つがエンプロイアビリティという考え方だ。雇用する（エンプロイ）と，能力（アビリティ）を組み合わせた言葉で，働く人が企業などの組織に雇われる（または雇われ続ける）能力や，雇われうる可能性とされる[1]。

　一般社団法人日本経済団体連合会は，エンプロイアビリティの日本型として「労働移動を可能にする能力」と「当該企業の中で発揮され，継続的な雇用を可能にする能力」と定義したが，簡潔に前者を「ステップアップ転職が可能な能力」，後者を「リストラされない能力」と理解することもできる（高松，2008：202）。つまり，働く人と雇用する企業の双方が，選ぶ・選ばれるという対等な関係である点が重要だ。

　一方，働く人にとっては，医師や看護師，一級建築士など，高度の専門性と国家資格を有する特定の職業を除くと，これまでは仕事を通した経験や資格取得などにより能力が示され，終身雇用のしくみが雇用を保証していた。しかし第4次産業革命に伴い，仕事に求められる技術が変化し続けるため，学んだ知識が古くなる速度が急激に速まっている。大学で獲得したスキルは，近い将来には不充分となることが予想される。こうした現実から，一人ひとりが自分のエンプロイアビリティを高め続けることが重要とされる。

## ❷　T型，H型，π型人材

　エンプロイアビリティには，第13章に述べたように，社会に出てからの学びが欠かせない。大学生は，社会人になっても勉強することに不安もあるだろうが，社会での学びは知識を暗記するだけではない。自分の能力に，幅と深さを持たせることが目的である。そのようにタテヨコに能力を広げた人材像を，T型，H型，π型と称する。

　これまでの日本社会では，1つの分野を学んだ「I型」のスペシャリストや，広い一般知識を持つ「－型」のゼネラリストが活躍した。しかし，複雑な課題に対して自ら問いを持ち，新しいしくみを作る創造的な能力が求められる今日，専門的な知識・技能を有した上で，より広い分野の知見を持ち，1つの分野にとらわれることなく横断的に発想できる「T型」人材（クロスディシプリンド　プロフェッショナル）が必要とされるようになった。「T」

の文字が示すように，タテ軸が深い専門性を，ヨコ軸が広い汎用性を示しているのである。

　さらに，自分が持つ専門的な能力を基盤に，垣根を超えて他の人が持つ専門的な能力とつながることで多様な発想ができる人材を「H型」（トランスバウンダリー　プロフェッショナル），2つの異なる専門性を有する人材を「π型」（ダブルメジャード　プロフェッショナル）として，こうした人間こそ，イノベーションを起こすために必要な人材として捉えられている。また，「I型」「－型」人材は，さらに突出して能力を磨くことで生き残ることができるとされる。いずれも，大学で学んだことを軸にして，自分の能力を磨き続けることが欠かせないのである（村山，2018：212）。

## ③　学びのリセット・Unlearn

　私たちは学びのことを，知識を積み重ねることで，理解や判断が深まる作業と考えるかもしれない。しかし，変化が続く今日の社会では，そのような直線的に積み上げたものを，自ら壊して見直すような学びが重要視され，これがアンラーンと呼ばれる。

　例えば，企業の研修では新しい知識や行動，スキルを習得する目的を，「知識やスキルを職場で活用する」「これまでとは違った行動を取る」とするのが一般的だ。その場合，これまでの知識や行動パターンに，新しく得たことをそのまま上書きしようとするのではなく，アンラーンとして，いったん消去・リセットしてから新しいものを学び直す方が効果的である，という考えである[2]。

　アンラーンは個人のみならず，組織単位でも重要とされる。例えば自動車産業は，これまでのように車（モノ）を作って個人に売るというビジネスから，移動する行為の便利さ（サービス）を提供するビジネスに大きく変わる。このような大きな変化の中では，自社の中にある「いつもの」思考や行動パターンを残すことよりも，それらを忘れて，異業種を参考に学び，利用者の声に真剣に耳を傾けるなどというように，自分たちの得意な技術を捨てて，新しいしくみに作り変えることが求められる。個人も組織も，常に学び直す勇気が求められているといえる。

**❹ 変化に対応する力，キャリア・アダプタビリティ**

　不確実な社会で生きていくため，自分も変わり続けることを実行する上で，キャリア・アダプタビリティ（キャリア適用力）という考えがある。これまでのように一直線上に長期的な自分のキャリアを計画するのではなく，新しい環境や予測できない変化への対応を想定したキャリアづくりを，アメリカの心理学者，M.L. サビカス（M.L.Savickas）が「キャリア構築理論」の中で提唱した。

　キャリア・アダプタビリティを向上させるために，4つの項目が掲げられている。関心（concern）：「自分の未来に関心を持つ」。統制（control）：「自分の未来は誰がコントロールしているのかを考える」。好奇心（curiosity）：「私はどんな未来を描きたいのかを考える」。自信（confidence）「私はそれを実現する自信があるのかを問う」という内容である。今日，キャリア・アダプタビリティが注目されるのは，一人ひとりが環境変化に対応してどのような職業を選択し，適応していくかが問われているからに他ならない（波田野，2016：279）。

# 3　ワーク・ライフ・バランス

**❶ ワークとライフにおける多様性**

　社会に出てからのキャリア形成を計画する上で基盤となるのが，仕事と生活の調和，ワーク・ライフ・バランスである。大切なのは，仕事と生活を対立させる考え方ではなく，多様なバランスのあり方であり，個人，産業，社会という多方面から捉える必要があるだろう。

　内閣府は「ワーク・ライフ・バランス憲章」において，「我が国の社会は，人々の働き方に関する意識や環境が社会経済構造の変化に必ずしも適応しきれず，仕事と生活が両立しにくい現実」があり，「仕事と生活の調和と経済成長は車の両輪であり，若者が経済的

に自立し，性や年齢などに関わらず誰もが意欲と能力を発揮して労働市場に参加することは，我が国の活力と成長力を高め，ひいては，少子化の流れを変え，持続可能な社会の実現にも資する」として，ワーク・ライフ・バランスを広く捉え，個人の生き方が経済や国の発展と強い関連性があることを示した[3]。

具体的には，働き方の改革がある。日本再興戦略 2014 では，「働き過ぎの防止への取組み，時間ではなく成果で評価される制度の導入，フレックスタイム制の見直し，多様な正社員のあり方」など，企業の雇用制度に関する改革が掲げられ，現在進行形で多くの変更が実施されている[4]。

しかし，ワーク・ライフ・バランスの本質的な価値とは，働くことと生活を切り離し，残業を減らして休日を増やすということではない。むしろ，一人ひとりが自分にあうようにワークとライフを調和させることにより，暮らしの質が向上し，人間的な成長がうまれ，結果的に仕事の生産性が高まり，充実した人生に近づくことにあるといえるだろう。

そこで，多様な解釈が重要になる。一般的には，仕事と生活を区別して，それぞれに求めるものが異なりながら調和させることがワーク・ライフ・バランスと理解される。一方で，仕事も生活も区分けなく，融合させて楽しむことで，両者が活性化する考えを「ワー

図表 14 − 1　ワーク・ライフ・バランス

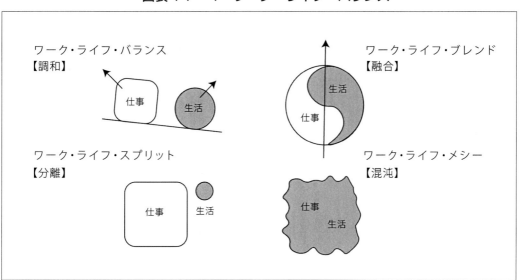

出所：村山（2018）より作成

第 14 章　これからのキャリアデザイン　｜　117

ク・ライフ・ブレンド」。仕事は苦役と捉え，生活を楽しくしようと願い，仕事生活を完全に分離させる考えを「ワーク・ライフ・スプリット」。仕事と生活がなし崩し的に混ざり合い，どちらも重たく感じる状況を「ワーク・ライフ・メシー」と捉えることは大きな意味がある（村山，2018：242）。

さらに，仕事をしていることを時間という単位で捉えていた時代から，成果で捉えるようになると，ワークとライフを対比させて時間で区切ることが必要でなくなるという考え方もある。会社への通勤が少なくなり，リモートワークの在宅勤務やコワーキングスペースでの共創的な仕事が増え，副業をはじめとして複数の仕事を進める人など，多様なワークが進む中では，自分の持つすべての時間がワークかつライフである。人は生きていることによって価値を稼ぎ，価値を高めるとする「ワークアズライフ」もありえるだろう（落合，2018：223）。

## ❷　多様化するキャリアとしての転職，起業

働く人が企業の内外で仕事の経験を積み，目標とするポジションに向かう道筋をキャリアパスという。これまでの日本では顕著とされていた，学校を卒業して企業に就職し，一度も退職することなく「終身雇用」パスを歩むのは，男性（退職回数0回）は，30代で48%，40代で38%，50代で34%という調査がある。なお，転職1回（退職1回・現在有業）を含めると，30～59歳で6割弱となり，過半数以上の男性の転職回数は多くても1回とされる。なお，転職2回以上の人の割合は30代で上昇した後，40～65歳ではおおむね4割程度で一定となっている。

本調査からは，雇用の流動性が高くないとされる日本においても，終身雇用の実数は高くないことが読み取れる。働く人にとって，転職を想定したキャリアアップの考え方は，20代から50代にわたって一定の割合で浸透しているといえるだろう。

また，企業に勤め，組織に所属するのではなく，自ら起業することがキャリアの選択肢となる「起業大国」の実現を国は推奨している。しかし，日本の開業率は，2015年で

図表14－2　転職回数

| | n | 0回 | 1回 | 2回 | 3回 | 4回 |
|---|---|---|---|---|---|---|
| 正規職員・従業員 | 14,879 | 45.5 | 17.6 | 13.2 | 9.8 | 5 |
| 15〜24歳 | 933 | 82.8 | 11 | 3.7 | 1.6 | 0.7 |
| 25〜34歳 | 3,546 | 55.7 | 19.4 | 11.8 | 6.5 | 3 |
| 35〜44歳 | 4,193 | 41.6 | 17.8 | 15 | 11.2 | 5.6 |
| 45〜54歳 | 3,725 | 39.2 | 15.8 | 13.9 | 12.1 | 5.9 |
| 55〜64歳 | 2,075 | 36.3 | 18.7 | 13.5 | 11.2 | 6.6 |
| 男性計 | 10,194 | 48.3 | 18.1 | 12.5 | 9 | 4.5 |
| 15〜24歳 | 531 | 83.3 | 10.5 | 3.5 | 2 | 0.4 |
| 25〜34歳 | 2,287 | 57.3 | 18.8 | 10.9 | 6.3 | 3.1 |
| 35〜44歳 | 2,968 | 44.4 | 18.4 | 14.6 | 10.4 | 4.9 |
| 45〜54歳 | 2,653 | 45.3 | 16.5 | 12.8 | 10.2 | 5.1 |
| 55〜64歳 | 1,492 | 41 | 20 | 12.3 | 9.6 | 6 |
| 女性計 | 4,685 | 39.3 | 16.6 | 14.8 | 11.6 | 5.9 |
| 15〜24歳 | 402 | 82.2 | 11.7 | 4 | 1.1 | 1 |
| 25〜34歳 | 1,258 | 52.9 | 20.7 | 13.5 | 6.9 | 2.6 |
| 35〜44歳 | 1,226 | 34.7 | 16.4 | 16.2 | 13.2 | 7.4 |
| 45〜54歳 | 1,071 | 24.2 | 14.1 | 16.6 | 16.8 | 8 |
| 55〜64歳 | 583 | 24.1 | 15.3 | 16.5 | 15.4 | 8.1 |

転職者比率

| | 2015 | 2016 | 2017 |
|---|---|---|---|
| 総数 | 299万人 | 307万人 | 311万人 |
| 15〜24歳 | 11.20% | 11.50% | 11.10% |
| 25〜34歳 | 7.10% | 6.90% | 7% |
| 35〜44歳 | 4.30% | 4.10% | 4.60% |

出所：全国就業実態パネル調査2018リクルートワークスより作成

5.2％であり，米国9.3％（2011年），英国14.3％，ドイツ7.3％（2014年），フランス12.4％などと比較して，国際的には低いままである[5]。

　その要因は，起業を支援する環境が十分ではないとされ，開業資金や人脈，情報，経験といった有形無形のサポートが整っていないのが現状であろう。しかし，起業希望者に対する起業家の割合については，1997年から2012年にかけて，13.1％，18.6％，19.9％，20.2％と増加しており，その結果，起業希望者数は大きく減少している一方で，毎年一定数の起業家が一貫して誕生している。また，起業準備者全体に占める，在学中で

かつ具体的に起業準備を行っている学生の割合を見てみると，在学中の学生の起業への意識が徐々に高まっているとされる[6]。

　一方で，起業とは異なるものの，全国各地でシビックエコノミーという活動が広まりを見せている。これは英国で始まった市民レベルのイノベーションであり，市民による生産・流通・消費・蓄積という循環する経済を生み出す活動だ。空き家や空き部屋の活用や，公共施設の民間利用のしくみ，ネットを使ったシェアのしくみ，生産者と消費者をつなぐ新たな仕掛けなど，それぞれの地域の課題と当事者のリソースに応じて多様である。例えば，東京都練馬区では，子どもと母親を地域全体で支援する，ベーカリー＆カフェとギャラリーを融合した園舎を持つ「まちの保育園」が誕生した。同様に「森のようちえん」という活動も，全国ネットワークに発展している。人々の移住を支援する「京都移住計画」は，キャリア支援業や不動産業，Web 開発業など多様な前職を持つ人々がビジネスとして立ち上げて，福岡や新潟など全国各地に「〜移住計画」が立ち上がった（江口，2016：148）。

　いずれも企業への勤務や独立・開業といった既存のビジネスの視点とは異なり，自分たちで社会に新しい循環をつくっているのがシビックエコノミーである。ウェブなど IT 関連の技術を下敷きにして，多様な人々が知恵を合わせて新しい仕事や働き方をつくろうとする，共創の時代の新しいキャリアといえるだろう。


## 【注】

1）山本寛研究室「エンプロイアビリティ」
　　（http://yamamoto-lab.jp/employ-ability/）
2）中村文子「Unlearn という効果的な学び方」
　　（https://project.nikkeibp.co.jp/atclhco/414615/041200041/?P=1）
3）内閣府 男女共同参画局「仕事と生活の調和　ワークライフバランス憲章」
　　（http://wwwa.cao.go.jp/wlb/government/20barrier_html/20html/charter.html）
4）日本再興戦略 2014「2　雇用制度改革・人材力の強化」
　　（https://www.kantei.go.jp/jp/singi/keizaisaisei/pdf/honbun2JP.pdf）
5）科学技術指標 2017「5．4．3　主要国における起業の現状」
　　（https://www.nistep.go.jp/sti_indicator/2017/RM261_56.html）
6）中小企業庁「2017 年度版小規模企業白書」第 2 部小規模事業者のライフサイクル
　　（http://www.chusho.meti.go.jp/pamflet/hakusyo/H29/PDF/chusho/04Hakusyo_part2_

chap1_web.pdf）

## 引用・参考文献

高松正毅（2008）「企業が求める能力と大学教育」『高崎経済大学論集』第 50 巻第 3・4 合併号

村山　昇（2018）『働き方の哲学』ディスカヴァー・トゥエンティワン

波田野匡章（2016）「キャリア構築理論（Career Construction Theory）の現代的意義の検討」『経営行動科学』
　　第 28 巻第 3 号

落合陽一（2018）『日本再興戦略』幻冬舎

江口晋太朗（2016）『日本のシビックエコノミー』フィルムアート社

# 索　引

## A－Z

Co-Working ..................................... 6

CSR 企業総覧 ................................. 69

GPDC サイクル .............................. 20

H 型人材 ...................................... 114

OB・OG 訪問 ................................. 99

Off-JT ........................................... 91

OJT ............................................... 90

PDCA サイクル ............................ 110

SMART ゴール ............................. 109

T 型人材 ...................................... 114

VPI 職業興味検査

（VPI: Vocational Preference Inventory）..... 33

π 型人材 ...................................... 114

## ア

アクティブ・ラーニング ............... 107

アセスメント ................................. 18

アルバイト ................................... 108

一般職 ............................................ 55

インターンシップ .......................... 99

エントリー ..................................... 97

エンプロイアビリティ .................. 113

## カ

格差の問題 ..................................... 61

学士力 ............................................ 23

株主総会 ........................................ 81

株主割当て ..................................... 86

考え抜く力（シンキング）............. 25

企業文化 ........................................ 66

議決権 ............................................ 84

基礎力 ............................................ 22

キャリア・アダプタビリティ ........ 116

キャリアデザイン ......................... 105

　　──マップ ............................. 108

キャリアプラン .............................. 89

教育・研修制度 .............................. 90

業界・企業研究 .............................. 97

グループディスカッション ........... 101

経営理念 ........................................ 68

行動計画 ...................................... 111

公募 ............................................... 87

個人面接 ...................................... 100

雇用維持型 ...................................... 5

## サ

資金調達手段 ................................. 85

自己成長 ........................................ 89

自己表現のスキル ......................... 107

自己分析 .................................. 12, 97

シビックエコノミー ..................... 120

自分史 ............................................ 16

シャインの３つの問い .................... 13

社会人基礎力 ................................. 23

社債 ............................................... 88

就業規則 ........................................ 75

就職基礎力 ..................................... 23

終身雇用 ........................................ 56

集団面接 ...................................... 101

試用期間 ........................................ 77

少子高齢化 ..................................... 39

職業興味検査（アセスメント）....... 33

123

| | | | |
|---|---|---|---|
| 職業選択理論 | 33 | 人間力 | 23 |
| ジョハリの窓 | 17 | 年功序列 | 57 |
| 書類選考 | 100 | **ハ** | |
| 自律と自立 | 59 | 配置転換 | 78 |
| 新株予約権 | 87 | 働きがい | 89 |
| 人事権 | 77 | 非正社員 | 58 |
| 新卒者の一括採用 | 57 | 筆記試験 | 100 |
| 信頼関係の構築 | 94 | ビッグデータ | 2 |
| ストレス | 93 | ファイナンシャル・プランニング技能検定 | 103 |
| ゼミナール | 99 | ボランティア | 108 |
| 総合職 | 55 | **マ** | |
| 相互関係 | 15 | 前に踏み出す力（アクション） | 25 |
| **タ** | | 学びのプランニング能力 | 91 |
| 大学コンソーシアム | 47 | 6つの環境モデル | 33 |
| 大学での学び | 105 | 6つのパーソナリティ・タイプ | 33 |
| 第三者割当て | 86 | 面接試験 | 101 |
| 第4次産業革命 | 1 | メンター | 94 |
| 地域おこし協力隊 | 43 | 目標設定 | 105 |
| 地域課題解決事業 | 46 | **ラ** | |
| チームで働く力（チームワーク） | 25 | ライフラインチャート | 16 |
| 賃金 | 72 | ライン・アンド・スタッフ組織 | 51 |
| 定款 | 82 | ライン組織 | 51 |
| デジタルテクノロジー | 2 | リカレント教育 | 92 |
| 東京への一極集中 | 41 | 労働移動支援型 | 5 |
| 取締役会 | 84 | 労働基準法 | 76 |
| **ナ** | | 労働契約 | 72 |
| 内定 | 102 | 労働団体法 | 73 |
| ——辞退 | 75 | 労働保護法 | 72 |
| 21世紀型スキル | 7 | **ワ** | |
| 日商簿記検定 | 103 | ワーキング・プア | 62 |
| 日本再興戦略 | 3 | ワーク・ライフ・バランス | 116 |

《著者紹介》（執筆順）※は編著者

※**安武伸朗**（やすたけ・のぶお）担当：第1章，第5章，第14章
　常葉大学造形学部 教授

**波田野匡章**（はたの・まさあき）担当：第2〜4章，ワークシート
　明星大学経済学部 特任教授

※**坪井晋也**（つぼい・しんや）担当：第5〜8章
　常葉大学経営学部 特任教授

**伊藤隆史**（いとう・りゅうし）担当：第9〜10章
　常葉大学法学部 教授

**中津川智美**（なかつがわ・さとみ）担当：第11〜13章
　常葉大学経営学部 教授

（検印省略）

2019 年 3 月 31 日　初版発行
2022 年 8 月 20 日　改訂版発行
2024 年 8 月 20 日　改訂版三刷発行　　　　　略称 ― キャリアデザイン

# キャリアデザイン論［改訂版］
## ―大学生のキャリア開発について―

編著者　安武伸朗・坪井晋也
発行者　塚 田 尚 寛

発行所　東京都文京区　**株式会社　創 成 社**
　　　　春日 2 - 13 - 1

電　話　03（3868）3867　　ＦＡＸ　03（5802）6802
出版部　03（3868）3857　　ＦＡＸ　03（5802）6801
http://www.books-sosei.com　振　替　00150-9-191261

定価はカバーに表示してあります。

©2019, 2023 Nobuo Yasutake・Shinya Tsuboi　　組版：スリーエス　印刷：エーヴィスシステムズ
ISBN978-4-7944-7084-3 C 3036　　　　　　　　製本：エーヴィスシステムズ
Printed in Japan　　　　　　　　　　　　　　　落丁・乱丁本はお取り替えいたします。

―――――― 創成社の本 ――――――

| キャリアデザイン論<br>―大学生のキャリア開発について― | 安 武 伸 朗<br>坪 井 晋 也 | 編著 | 1,900 円 |
|---|---|---|---|
| キャリア開発論<br>―大学生のこれからのキャリア・リテラシー― | 安 武 伸 朗<br>坪 井 晋 也 | 編著 | 1,800 円 |
| はじめての原発ガイドブック<br>―賛成・反対を考えるための9つの論点― | 楠 美 順 理 | 著 | 1,500 円 |
| ケースで学ぶ国連平和維持活動<br>― PKO の困難と挑戦の歴史 ― | 石 塚 勝 美 | 著 | 2,100 円 |
| 国 連 PKO と 国 際 政 治<br>― 理 論 と 実 践 ― | 石 塚 勝 美 | 著 | 2,300 円 |
| アメリカに渡った「ホロコースト」<br>―ワシントンDCのホロコースト博物館から考える― | 藤 巻 光 浩 | 著 | 2,900円 |
| グローバリゼーション・スタディーズ<br>― 国 際 学 の 視 座 ― | 奥 田 孝 晴 | 編著 | 2,800円 |
| 国 際 学 と 現 代 世 界<br>―グローバル化の解析とその選択― | 奥 田 孝 晴 | 著 | 2,800円 |
| 市民のためのジェンダー入門 | 椎 野 信 雄 | 著 | 2,300円 |
| 家 族 と 生 活<br>―これからの時代を生きる人へ― | お茶の水ヒューマン<br>ライフシステム研究会 | 編 | 2,400円 |
| リメディアル世界史入門 | 宇 都 宮 浩 司 | 編著 | 2,100円 |
| 新・大学生が出会う法律問題<br>―アルバイトから犯罪・事故まで役立つ基礎知識― | 信州大学経法学部 | 編 | 2,000円 |
| 大学生が出会う経済・経営問題<br>―お金の話から就職活動まで役立つ基礎知識― | 信州大学経済学部<br>経 済 学 科 | 編 | 1,600円 |
| よ く わ か る 保 育 所 実 習 | 百 瀬 ユカリ | 著 | 1,500円 |
| 実 習 に 役 立 つ 保 育 技 術 | 百 瀬 ユカリ | 著 | 1,600円 |
| よ く わ か る 幼 稚 園 実 習 | 百 瀬 ユカリ | 著 | 1,800円 |

（本体価格）

―――――― 創 成 社 ――――――

# 『キャリアデザイン論』

# ワークシート集

このワークシート集には，テキストを読んで，
自分で考えたことや，
他の人の意見で参考となったものを記入して，
自分のキャリアデザインを行うときに，
キャリアノートとして活用してください。

名前：＿＿＿＿＿＿＿＿＿＿＿＿＿＿

# 1 『大学生が生きている社会』シート

現代は，第4次産業革命と言われ，デジタル技術による自動化や，あらゆるモノがインターネットにつながるIoTの発展が進み、社会全体が大きく変化しています。

これまでの産業革命同様に，変化したものは元には戻らないことを実感することで，これからの時代にふさわしいキャリアデザインを考えてみましょう。

もしも，スマートフォンがなかったとしたら，日々の暮らしの中で，どんなことができなくなるでしょう？

- 
- 
- 
- 
- 

スマートフォンによって私たちの暮らしが変化したように，デジタル技術の発展にともない，社会のいろいろな場面で，20世紀のしくみが変化し始めています。

今は当たり前であっても，5年前にはなかった，または少ししか普及していなかったデジタル技術に関連したサービスや製品にはどのようなものがあるでしょう？

また，5年後には，どのような暮らしが可能になるか，考えてみましょう。

- 
- 
- 
- 
- 
-

# 2-1 『3つの問いへの回答』シート

シャインの3つの問い（できること，やりたいこと，価値を感じること）に回答しましょう。現在の時点で思いつくことを自由に記入してください。

自分が「できる（得意）」と思うことは何ですか？

- 
- 
- 
- 
- 

自分が「やりたい（興味・関心がある）」と思うことは何ですか？

- 
- 
- 
- 
- 

自分が「（行うことに）価値を感じる」と思うことは何ですか？

- 
- 
- 
- 
-

## 2-2 社会と自分との関係図

日常生活で活動している場面や人と関わっている場面を思い起こして，例を参考にしながら，自分の周りの社会（人々あるいは組織・団体）を考えて記入しましょう。

次に，それらの社会（人々や組織・団体）との関係についても考えて記入しましょう。「私」から出ている矢印は"貢献"，「私」へ向かっている矢印は"報酬"を意味しています。

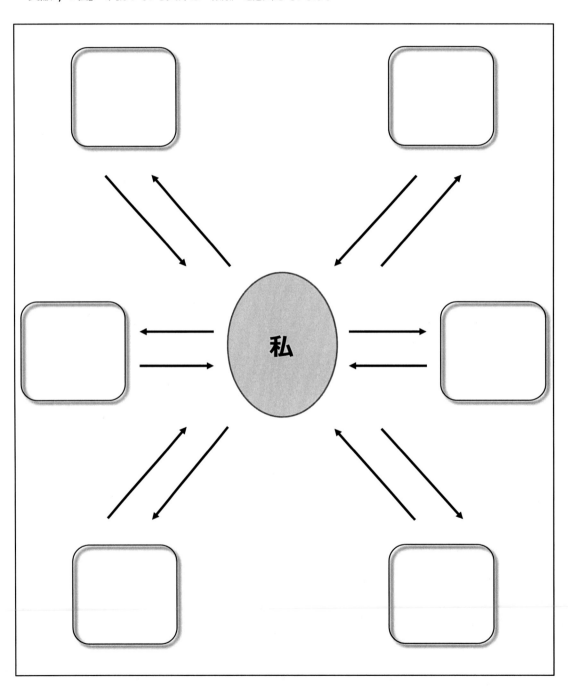

## 社会と自分との関係図（記入例）

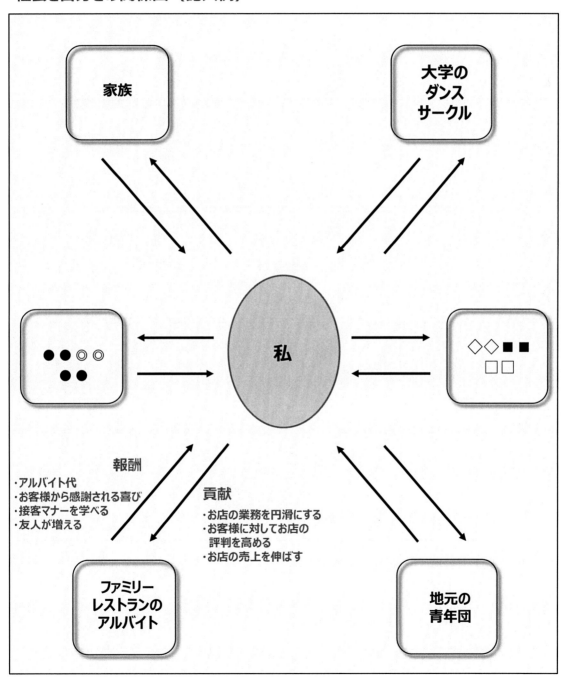

# 2-3 『自分史』ワークシート

これまでの自分を振り返って，各時代ごとのエピソードやその時の気持ちを，思い出して書き出してみましょう。

| | 小学校時代 | 中学校時代 | 高校時代 | 大学時代 |
|---|---|---|---|---|
| 楽しかったこと | | | | |
| 楽しかった理由 | | | | |
| 得意だったこと | | | | |
| 嬉しかったこと | | | | |
| 辛かったこと | | | | |
| どのように克服したか | | | | |

# 2-4 ライフラインチャート

1. 横軸に自分の年齢，もしくは西暦，「小学校」「中学校」「高校」「大学」といった時期を記入します。
2. 振り返って，それぞれの時期の自分を思い出してみます。「充実していた！」「楽しかった！」時期は＋側に，「つらかった」時期は－側にして，気持ちを曲線で表します。自分の気持ちを素直に曲線に描きましょう。
3. 曲線の山や谷を描くなかで思い出した出来事や気持ちをどんどん記入していきます。
   うまくいったこと，失敗したこと，楽しかったこと，つらかったことや，そのとき関わった人など，思い出したことを自由に書きましょう。
4. 一通り書き終わったら，全体を眺めてみます。そこから見えてくる，「私の特徴（得意なこと・好きなことや苦手なこと・嫌いなことなど）」を記入しましょう。

### ライフラインチャート（記入例）

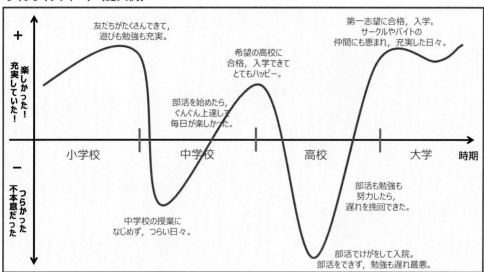

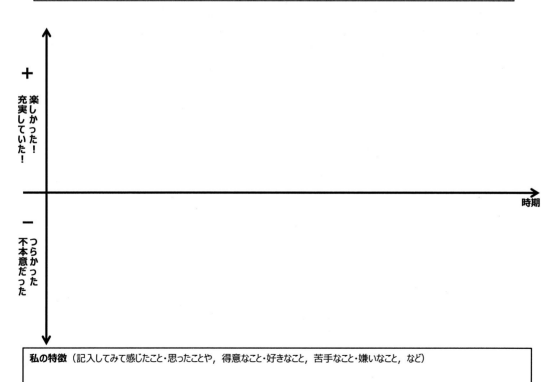

**私の特徴**（記入してみて感じたこと・思ったことや，得意なこと・好きなこと，苦手なこと・嫌いなこと，など）

# 3-1 社会人基礎力自己評価シート

| 評価項目 | | 定義 | 内容 | ガイドライン | 自己評価ランク | | | | |
|---|---|---|---|---|---|---|---|---|---|
| | | | | | できる | ある程度できる | どちらともいえない | あまりできない | できない |
| 前に踏み出す力 | 主体性 | 物事に進んで取り組む力 | 指示を待つのではなく，自らやるべきことを見つけて積極的に取り組む。 | ・自分で考えて活動を進められるようになったか。<br>・「できません」と言わずに取り組んだか。<br>・自分からすすんで動くようになったか。 | 5 | 4 | 3 | 2 | 1 |
| | 働きかけ力 | 他人に働きかけ巻き込む力 | 「やろうじゃないか」と呼びかけ，目的に向かって周囲の人々を動かす。 | ・積極的にクラス活動に従事したか。<br>・まわりと助け合って取り組んだか。<br>・確認や質問をしながら活動を行えたか。 | 5 | 4 | 3 | 2 | 1 |
| | 実行力 | 目的を設定し確実に行動する力 | 言われたことをやるだけでなく自ら目標を設定し，失敗を恐れず行動に移し，粘り強く取り組む。 | ・自分の意見を提案したか。<br>・自立的に活動に取り組んだか。<br>・目的をよく考えて行動したか。 | 5 | 4 | 3 | 2 | 1 |
| 前に踏み出す力　小計 | | | | | | | | 点 | |
| 考え抜く力 | 課題発見力 | 現状を分析し目的や課題を明らかにする力 | 目標に向かって，自ら「ここに問題があり，解決が必要だ」と提案する。 | ・必要な情報と必要ではない情報をきちんと区別できたか。<br>・プロセスを自ら考え，実行できるようになったか。<br>・確認や見直しを行い，ケアレスミスを未然に防いでいるか。 | 5 | 4 | 3 | 2 | 1 |
| | 計画力 | 課題の解決に向けたプロセスを明らかにし準備する力 | 課題の解決に向けた複数のプロセスを明確にし，「その中で最善のものは何か」を検討し，準備する。 | ・問題点を整理して行動したか。<br>・重要となるポイントを優先して行動できたか。<br>・事前に計画を立てて，期限内に完成できたか。 | 5 | 4 | 3 | 2 | 1 |
| | 創造力 | 新しい価値を生み出す力 | 既存の発想にとらわれず，課題に対して新しい解決方法を考える。 | ・タスクの目的に沿って，創造的に作品を作成しようとしたか。<br>・参考文献や関連する資料から新しい成果物を作成したか。<br>・比較や分析だけでなく，自分の考察を交えて成果物を作成したか。 | 5 | 4 | 3 | 2 | 1 |
| 考え抜く力　小計 | | | | | | | | 点 | |
| チームで働く力 | 発信力 | 自分の意見をわかりやすく伝える力 | 自分の意見をわかりやすく整理した上で，相手に理解してもらえるように的確に伝える。 | ・発表時において，論点を整理してわかりやすい説明ができたか。<br>・必要な情報を伝えられるようになったか。<br>・報告・連絡・相談をする習慣を身に付けられたか。 | 5 | 4 | 3 | 2 | 1 |
| | 傾聴力 | 相手の意見を丁寧に聴く力 | 相手の話しやすい環境を作り，適切なタイミングで質問するなど相手の意見を引き出す。 | ・ほかの人から必要な情報を引き出せるようになったか。<br>・相手が言いたいことをしっかり把握できるようになったか。<br>・自分と異なる意見をよく聴くことができるようになったか。 | 5 | 4 | 3 | 2 | 1 |
| | 柔軟性 | 意見の違いや立場を理解する力 | 自分のルールややり方に固執するのではなく，相手の意見や立場を尊重し理解する。 | ・相手の立場に立って考えられるようになったか。<br>・状況に応じさまざまな異なる方法で対応できるようになったか。<br>・異なる文化の思考方法，習慣の違いなどに対応できるようになったか。 | 5 | 4 | 3 | 2 | 1 |
| | 情況把握力 | 自分と周囲人々や物事との関係性を理解する力 | チームで仕事をするとき，自分がどのような役割を果たすべきかを理解する。 | ・自分の役割を十分理解して取り組めるようになったか。<br>・自分の良さを把握し，自分の役割分担を理解しているか。<br>・他の人の良さを引き出し，チーム全体を考え行動できたか。 | 5 | 4 | 3 | 2 | 1 |
| | 規律性 | 社会のルールや人との約束を守る力 | 状況に応じて，社会のルールに則って自らの発言や行動を適切に律する。 | ・授業や活動時間の使い方の自己管理ができるようになったか。<br>・宿題の提出など，決められた期限を守ったか。<br>・社会的なルール，マナーを守って行動できたか。 | 5 | 4 | 3 | 2 | 1 |
| | ストレスコントロール力 | ストレスの発生源に対応する力 | ストレスを感じることがあっても，成長の機会だとポジティブに捉えて肩の力を抜いて対応する | ・大変な時，仲間の協力などにより，乗り越えようと努力したか。<br>・疲れている時や，気持ちが沈んでいる時でも，前向きに授業に望んだか。<br>・自分で感情をコントロールできたか。 | 5 | 4 | 3 | 2 | 1 |
| チームで働く力　小計 | | | | | | | | 点 | |

# 3-2 社会人基礎力プロット図

「3-1 社会人基礎力自己評価シート」で評価した，12の社会人基礎力の自己評価ランクの数字を，各社会人基礎力ごとにプロットして，12のプロットを線でつないでみましょう。

得意な基礎力と不得意な基礎力が，一目瞭然になります。

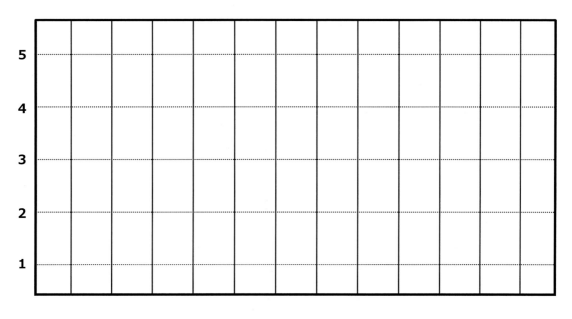

# 3-3『社会人基礎力の特徴を考える 』シート

テキストの『図表3－3「社会人基礎力」を発揮できた例』を参考にしながら，記入しましょう。

---

得意だと思う基礎力はどれですか？

| ① | ② | ③ |
|---|---|---|

それぞれの基礎力が得意となった理由について，考えてみましょう。その際に，具体的にどのような行動が影響したのか思い起こしてみましょう。

①＿＿＿＿＿＿＿＿＿＿＿＿＿＿＿＿が得意となった理由

②＿＿＿＿＿＿＿＿＿＿＿＿＿＿＿＿が得意となった理由

③＿＿＿＿＿＿＿＿＿＿＿＿＿＿＿＿が得意となった理由

---

不得意（苦手）だと思う基礎力はどれですか？

| ① | ② | ③ |
|---|---|---|

不得意（苦手）な基礎力をうまく発揮できなかった場面を思い起こしてみましょう。その際に，具体的にどのように行動していればうまくできたのかを考えてみましょう。

①＿＿＿＿＿＿＿＿＿＿＿＿＿＿＿＿がうまく発揮できなかった場面と改善行動

②＿＿＿＿＿＿＿＿＿＿＿＿＿＿＿＿がうまく発揮できなかった場面と改善行動

③＿＿＿＿＿＿＿＿＿＿＿＿＿＿＿＿がうまく発揮できなかった場面と改善行動

## 3-4 『社会人基礎力を伸ばす取り組みを考える 』シート

まず，伸ばしたい社会人基礎力を特定して記入してください。次に，テキストの『図表3－3「社会人基礎力」を発揮できた例』を参考にしながら，伸ばしたい社会人基礎力を伸ばすための取り組みを考えてみましょう。

伸ばしたいと考えている社会人基礎力はどれですか？

| ① | ② | ③ |
|---|---|---|
|   |   |   |

伸ばしたい基礎力について，具体的にどのような取り組みを行うことによって，伸ばしていきますか？

①＿＿＿＿＿＿＿＿＿＿＿＿＿＿＿＿＿＿＿を伸ばすための取り組み




②＿＿＿＿＿＿＿＿＿＿＿＿＿＿＿＿＿＿＿を伸ばすための取り組み




③＿＿＿＿＿＿＿＿＿＿＿＿＿＿＿＿＿＿＿を伸ばすための取り組み

# 4 『職業興味について考える』シート

実際にその仕事に就くかどうか，現実にできるかできないか，ということは全く考えずに，今あなたが感じる興味・関心の程度を素直に回答して下さい。作成手順は下記の通りです。

<作業手順>
表の各項目に対し，太枠の白い欄に，「とても興味がある」=（3点），「興味がある」=（1点），「興味がない」=（-1点）の要素で点数を記入し，縦の列で得点を合計してください。

| | | R | I | A | S | E | C |
|---|---|---|---|---|---|---|---|
| 1 | ブルドーザーやクレーン車を運転する | □ | | | | | |
| 2 | 実験や研究を繰り返し病原体を発見する | | □ | | | | |
| 3 | 小説を書く | | | □ | | | |
| 4 | 病院で入院患者の世話をする | | | | □ | | |
| 5 | 店や会社の経営にたずさわる | | | | | □ | |
| 6 | ルールに従って伝票を処理する | | | | | | □ |
| 7 | 部品を組み立てて機械を作る | □ | | | | | |
| 8 | 海水の成分や海流について調査研究する | | □ | | | | |
| 9 | 映画をつくる | | | □ | | | |
| 10 | 保育園で子どもと一緒に遊びながら世話をする | | | | □ | | |
| 11 | テレビなどの番組を企画し，制作を指導する | | | | | □ | |
| 12 | コンピュータに大量の計算をさせる | | | | | | □ |
| 13 | 飛行機を点検・整備する | □ | | | | | |
| 14 | 農作物の品種改良をする | | □ | | | | |
| 15 | インテリアをコーディネイトする | | | □ | | | |
| 16 | ホテルや旅館で接客する | | | | □ | | |
| 17 | 消費ニーズを分析し，流行を作る | | | | | □ | |
| 18 | マニュアルに従って間違いなく対応する | | | | | | □ |
| 19 | 自動車の修理をする | □ | | | | | |
| 20 | 真理を追究する | | □ | | | | |
| 21 | 後世に残る建築物を設計する | | | □ | | | |
| 22 | ツアーコンダクターとして旅行に同行する | | | | □ | | |
| 23 | 経済アナリストになり，経済動向を予想する | | | | | □ | |
| 24 | 法令や規則に従って正確に書類を作成する | | | | | | □ |
| 25 | ダムの施工管理を行う | □ | | | | | |
| 26 | フィールドワークを行い，考古学を究める | | □ | | | | |
| 27 | 写真を撮ることによって，自己表現を行う | | | □ | | | |
| 28 | 仕事の大半は，人と話をしたい | | | | □ | | |
| 29 | 公正な裁判を行う | | | | | □ | |
| 30 | 手順に従って，遅延なく飛行機を離着陸させる | | | | | | □ |
| | 【合計】 | 【R】 | 【I】 | 【A】 | 【S】 | 【E】 | 【C】 |

<記入法>
上記のR．I．A．S．E．Cのうち，合計の点数が高かったものから3つを○で囲みましょう。
これらの領域があなたの興味に適合する職業分野と考えられます。

出所：厚生労働省「ジョブカード活用ガイド」を一部修正

# 5 『地域活性化・地域創生について考える』シート

「第5章 地域・地方」で説明されている，"地域・地方の現状と課題" と "地域活性化の取り組み" を理解した上で，地域社会が地域活性化・創生を推進するために有効だと考えられる取り組みを記入してください。

# 6-1 『興味のある業界を調べる』シート

1. 第6章「図表6-4 産業大分類項目表」から，興味のある業界を3つ選んでみましょう。
2. それぞれについて，総務省ホームページ「日本標準産業分類－分類項目名」
　（http://www.soumu.go.jp//toukei_toukatsu/index/seido/sangyo/02toukatsu01_03000044.html#a）を参照して，各大分類項目の下にあるPDFファイル「説明及び内容例示」を閲覧にして，興味のある業界を調べてみましょう。
3. 調べてみてわかったことや，もっと詳しく知りたいと思ったことなどを自由に記入しましょう。


① 大分類：＿＿＿＿＿＿＿＿＿＿＿＿＿＿＿＿＿＿

| 調べてみて，わかったことやもっと詳しく知りたいと思ったこと，など | |
|---|---|


② 大分類：＿＿＿＿＿＿＿＿＿＿＿＿＿＿＿＿＿＿

| 調べてみて，わかったことやもっと詳しく知りたいと思ったこと，など | |
|---|---|


③ 大分類：＿＿＿＿＿＿＿＿＿＿＿＿＿＿＿＿＿＿

| 調べてみて，わかったことやもっと詳しく知りたいと思ったこと，など | |
|---|---|

# 6-2 『興味のある職業を調べる』シート

1. 日本標準職業分類表（別紙参照）の大分類と中分類の項目から，興味のある職業を2つ選んで，興味のある職業①・②の「大分類」「中分類」欄に記入しましょう。

2. それぞれについて，「ハローワークインターネットサービス」厚生労働省編職業分類（https://www.hellowork.go.jp/info/mhlw_job_dictionary.html）を参照して，小分類 → 細分類の項目から興味のある職業を選びましょう。

3. 選んだ興味のある職業に関して，その職業の内容，求められる知識や資格，活躍の分野や場所を調べて記入しましょう。

※ 右ページの，＜記入方法＞＜記入例＞を参考にして，興味ある職業①②を調べて記入してください。

## ＜興味のある職業①＞

大分類：＿＿＿＿＿＿＿＿＿＿＿＿＿＿＿＿　　中分類：＿＿＿＿＿＿＿＿＿＿＿＿＿＿＿＿

| | |
|---|---|
| 選んだ<br>小分類の職業名 | |
| 選んだ<br>細分類の職業名 | |
| その職業の内容 | |
| 求められる<br>知識や資格 | |
| 活躍の分野や場所 | |

## ＜興味のある職業②＞

大分類：＿＿＿＿＿＿＿＿＿＿＿＿＿＿＿＿　　中分類：＿＿＿＿＿＿＿＿＿＿＿＿＿＿＿＿

| | |
|---|---|
| 選んだ<br>小分類の職業名 | |
| 選んだ<br>細分類の職業名 | |
| その職業の内容 | |
| 求められる<br>知識や資格 | |
| 活躍の分野や場所 | |

## ＜記入方法＞

大分類：<u>選んで記入します。</u>　　大分類項目にある職業を選んで記入します。

中分類：<u>中分類項目にある職業を選んで記入します。</u>　大分類項目で選んだ職業の

| 選んだ<br>小分類の職業名 | 中分類項目で選んだ職業の小分類項目にある職業を選んで記入します。 |
|---|---|
| 選んだ<br>細分類の職業名 | 小分類項目で選んだ職業の細分類項目あるいは該当例にある職業を選んで記入します。 |
| その職業の内容 | 選んだ細分類項目あるいは該当例の職業の内容を調べて記入します。 |
| 求められる<br>知識や資格 | その職業を行うにあたって必要な知識やスキル，取得が不可欠あるいは取得しておいた方が良いと考えられる資格，を記入してください。 |
| 活躍の分野や場所 | 実際に働く組織や部署，職場の様子，地域などを調べて記入してください。<br>調べてもわからない場合は，想像上のものでもかまいません。 |

## ＜記入例＞

大分類：<u>　D　販売の職業　</u>　　中分類：<u>　34　営業の職業　</u>

| 選んだ<br>小分類の職業名 | 349　その他の営業の職業 |
|---|---|
| 選んだ<br>細分類の職業名 | 349-02　広告営業員 |
| その職業の内容 | 広告会社で広告企画を立てて広告主に働きかけ，受注から計画，実施，代金の回収までの進行管理にあたる。その時代のニーズを先取りし，社会に働きかける仕事。広告する商品やサービスについての理解はもちろん，消費者の心をつかむユニークなアイデアを次々と生み出すことが求められる。 |
| 求められる<br>知識や資格 | 特別の学歴や資格は必要ない。また，学校での専門も問われない。<br>得意先と接触することから，人との交流に積極的であること，社内の各部門や社外の人々とのチームワークやリーダーシップ，また，クリエイターなど制作部門へ適切な提案をすることなどが求められる。 |
| 活躍の分野や場所 | 広告会社の営業部門。<br>広告主のいる場所が営業先となり，広告主が外国企業であれば海外でも営業活動を行う。<br>社会の動きに伴う広告主の変化にも敏感に対応する必要があり，昨今ではインターネット関連広告の取り扱い増加している。 |

# ＜日本標準職業分類表＞

| 大分類 | 中分類 | 大分類 | 中分類 |
|---|---|---|---|
| A 管理的職業 | 01管理的公務員<br>02法人・団体の役員<br>03法人・団体の管理職員<br>04その他の管理的職業業 | F保安の職業 | 43自衛官<br>44司法警察職員<br>45その他の保安の職業 |
| B 専門的・技術的職業 | 05研究者<br>06農林水産技術者<br>07開発技術者<br>08製造技術者<br>09建築・土木・測量技術者<br>10情報処理・通信技術者<br>11その他の技術者<br>12医師，歯科医師，獣医師，薬剤師<br>13保健師，助産師，看護師<br>14医療技術者<br>15その他の保健医療の職業<br>16社会福祉の専門的職業<br>17法務の職業<br>18経営・金融・保険<br>19教育の職業<br>20宗教家<br>21著述家，記者，編集者<br>22美術家，デザイナー，写真家，映像撮影者<br>23音楽家，舞台芸術家<br>24その他の専門的職業 | G農林漁業の職業 | 46農業の職業<br>47林業の職業<br>48漁業の職業 |
| | | H生産工程の職業 | 49生産設備制御・監視（金属材料製造，金属加工，金属溶接・溶断）<br>50生産設備制御・監視（金属材料製造，金属加工，金属溶接・溶断を除く）<br>51生産設備制御・監視（機械組立）<br>52金属材料製造，金属加工，<br>54製品製造・加工処理の職業<br>57機械組立の職業<br>60機械整備・修理の職業<br>61製品検査の職業（金属材料製造，金属加工，金属溶接・溶断）<br>62製品検査の職業（金属材料製造，金属加工，金属溶接・溶断を除く）<br>63機械検査の職業<br>64生産関連・生産類似の職業 |
| C 事務的職業 | 25一般事務の職業<br>26会計事務の職業<br>27生産関連事務の職業<br>28営業・販売関連事務<br>29外勤事務の職業<br>30運輸・郵便事務の職業<br>31事務用機器操作の職業 | I輸送・機械運転の職業 | 65鉄道運転の職業<br>66自動車運転の職業<br>67船舶・航空機運転の職業<br>68その他の輸送の職業<br>69定置・建設機械運転の職業 |
| D 販売の職業 | 32商品販売の職業<br>33販売類似の職業<br>34営業の職業 | J建設・採掘の職業 | 70建設躯体工事の職業<br>71建設の職業<br>72電気工事の職業<br>73土木の職業<br>74採掘の職業 |
| E サービスの職業 | 35家庭生活支援サービスの職業<br>36介護サービスの職業<br>37保健医療サービス<br>38生活衛生サービス<br>39飲食物調理の職業<br>40接客・給仕の職業<br>41居住施設・ビル等の<br>42その他のサービスの職業 | K運搬・清掃・包装等の職業 | 75運搬の職業<br>76清掃の職業<br>77包装の職業<br>78その他の運搬・清掃・包装等の職業 |

## 7 『現在の雇用システムについて考える』シート

第7章「2 変化する雇用システム」を読んで，現在の日本の雇用システムについて考えたこと，思ったことを記入してください。

日本の雇用システムへの考察を踏まえて，将来どのような働き方をしたいかを考えて記入してください。

## 8『企業との相性について考える』シート

「第8章 求められる人材像」を読んで，"企業が重視する能力""企業が求める人材""企業文化""経営理念"
に留意しつつ，自分と企業との相性を見極めるために重要だと思える取り組みを考えて記入してください。

# 9『労働者保護の法的規制について考える』シート

自分が将来就職するときのことを考えて，働き始める前（内定取り消し，内定辞退），働き始めてから（試用期間，配置転換）の時点で生じる問題に対して，労働者は法律によってどのように保護されているのか，テキストをよく読んで，記入しましょう。

### ＜働き始める前＞

内定取り消し

内定辞退

### ＜働き始めてから＞

試用期間

配置転換

## 10『株式会社の合理的経営を実現している会社法について考える』シート

株式会社の機動的，合理的経営を実現するしくみとして，所有と経営の分離の制度化が挙げられます。それを規定しているのが会社法です。では，会社法では所有（株主総会）と経営（取締役会）について，どのような規定をしているのか，しくみや権限，招集などの点から整理してみましょう。

### ＜所有（株主総会）＞

しくみ

権限

招集

### ＜経営（取締役会）＞

しくみ

招集

運営手続き

# 11-1 『「学び」ついて考える』シート

大学入学から現在までを振り返って，「学んだ」と思えることを挙げてください。

| | 大学入学から現在までで「学んだ」と思えること |
|---|---|
| ① | |
| ② | |
| ③ | |
| ④ | |
| ⑤ | |

①〜⑤の「学び」の前後における，自分自身の変化について記入してください。

| | 「学び」前 | 「学び」後 |
|---|---|---|
| ① | | |
| ② | | |
| ③ | | |
| ④ | | |
| ⑤ | | |

自分にとって，「学ぶことの意味」とはどのようなことだと思いますか？ 自分の経験や他の人の意見などを参考にして，考えて記入してください。

# 11-2『ストレスへの対処法について考える』シート

働く上で，あるいは日常生活をよりよく過ごすために，ストレスを知り，ストレスへの対処法を考えておくことは，大変重要となります。テキストのストレス対処法①～③を参考にしながら，これまで自分が感じたストレスとその原因，さらにどのように対処してきたか（対処しようとしているのか）を思い起こして記入しましょう。

| ストレス① | |
| --- | --- |
| 原因 | |
| 対処法 | |

| ストレス② | |
| --- | --- |
| 原因 | |
| 対処法 | |

ストレスとその原因，対処法について考えてみて，あるいは他の人の意見を聞いてみて，ストレスへの対処法について，新たに考えたことや知り得たことを記入しましょう。

# 12『応募書類の質問項目』シート

応募書類（エントリーシート，履歴書など）で質問される一般的な項目を，以下に挙げましたので，回答してみましょう。

学生生活で力を入れて取り組んだ，学業分野（得意科目，得意分野，ゼミ活動など）のことは何ですか？

学生生活で力を入れて取り組んだ，学業以外分野（クラブ・サークル・ボランティア活動，アルバイトなど）のことは何ですか？

趣味・特技は何ですか？

自己PRを述べてください。

志望動機を述べてください。

# 13-1 キャリアデザインマップ①

1年後，3年後，5年後，10年後，･･･，の自分の人生（仕事，プライベート）において，理想とすることをイメージして，目標を設定しましょう。

| | 仕事（学業）の目標 | プライベートの目標 |
|---|---|---|
| 年後 年 歳 | | |
| **１０年後** 年 歳 | | |
| **5年後** 年 歳 | | |
| **3年後** 年 歳 | | |
| **1年後** 年 歳 | | |
| **現在** 年 歳 | | |

# キャリアデザインマップ①（記入例）

| | 仕事（学業）の目標 | プライベートの目標 |
|---|---|---|
| **31年後**<br>**2050年**<br>**50歳** | 日本で，世界各国と取引する企業を起業し，経営者としてビジネスを行う。 | 海外に別荘を保有し，定期的に家族と海外の生活を楽しんでいる。 |
| **10年後**<br>**2029年**<br>**29歳** | 海外の現地法人で管理職となり，事業や現地の人たちのマネジメントを行えるようになる。 | 家庭を築き，配偶者と子どもと海外で生活を送っている。 |
| **5年後**<br>**2024年**<br>**24歳** | 入社2年目。<br>海外に赴任し，英語を使ってビジネスを行っている。 | 大勢の海外の友人を作る。<br><br>ビジネスでも日常生活でも不自由しない英語力を身につける。 |
| **3年後**<br>**2022年**<br>**22歳** | 納得のいく就職活動を終えて，自分を成長させられると考える，グローバル企業への内定が決まっている。 | アルバイトで50万円を貯めて，多くの国々を旅行する。<br><br>各国で出会う人たちとコミュニケーションしたいので，日常会話ができる程度の英語力を身につける。 |
| **1年後**<br>**2020年**<br>**20歳** | 日商簿記2級の資格を取得する。 | アルバイトでリーダーになって，お店の運営や，後輩の指導方法をマスターする。 |
| **現在**<br>**2019年**<br>**19歳** | | 初対面の人とも気軽に話せるようになる。 |

# 13-2 キャリアデザインマップ②

大学を卒業して社会人になるときの理想の自分をイメージして，目標を設定しましょう。キャリアデザインマップ①を参考にしながら，その目標を実現するために必要な能力やスキルを考えて，「SMARTゴール」の方法に則して計画を立ててください。

★現在                                    4年生    ■社会人デビュー
                                        3月

現在の自分が身につけていて，活用できる能力・スキル
と
それらを，活用，あるいはさらに伸ばすための取り組み

| 活用できるもの | 取り組み（いつまでに，何を） |
|---|---|
|  |  |
|  |  |
|  |  |

**社会人になるときの目標**
**（どんな自分になっていたいか）**

現在の自分に足りなくて，これから身につけたい能力・スキル
と
それらを，身につけるための取り組み

| 身につけるもの | 取り組み（いつまでに，何を） |
|---|---|
|  |  |
|  |  |
|  |  |
|  |  |
|  |  |

現在の自分

# 14 『これからのキャリアデザイン』シート

本章では，キャリアデザインが，生涯にわたって仕事のスタイルや社会の中での役割を変化させながら，自分の人生を創造しつづけることを学びました。中でも仕事と生活の調和について考えてみましょう。

ワークライフバランスの本質は，一人ひとりが自分に合うようにワークとライフを調和させることで，人間的な成長と仕事の生産性を高めることでした。
では，身の回りの社会人を思い出して，その人はワークとライフをどのように調和させているか？ 図表14-1を参考にして，できるだけ具体的に記述してみましょう。

あなた自身のワークとライフのバランスについて，図表14−1を参考にして，25歳，35歳，45歳，55歳，65歳の理想のあり方をできるだけ具体的に記述してみましょう。

25歳

35歳

45歳

55歳

65歳